CARRÉS CLASSIQUES

Collection dirigée par
Sophie Pailloux-Riggi
Agrégée de Lettres modernes

Molière

# Dom Juan

## ou
## Le Festin de Pierre

Comédie

**1665**

texte intégral

Édition présentée par
Françoise Rio
Agrégée de Lettres modernes

# sommaire

## Contextes



## Lire *Dom Juan*



## Relire *Dom Juan*



ISBN 978-2-09-188435-6


Dossier central images en couleur

sommaire

# Qui est Molière en 1665 ?

## Un passionné de théâtre

Âgé de quarante-trois ans en 1665, Molière se consacre au théâtre depuis plus de vingt ans en cumulant les fonctions d'auteur, de comédien excellant dans les rôles comiques, de metteur en scène et de directeur de troupe. Sa carrière a bien évolué depuis 1643, quand ce fils de tapissier du roi renonça à suivre le destin paternel pour se jeter avec passion dans l'aventure théâtrale. Sa première troupe, l'Illustre-Théâtre, fondée en 1643 avec Madeleine Béjart, sa maîtresse, connaît des déboires financiers à Paris mais survit grâce aux tournées en province. En 1658, de retour dans la capitale, Molière et ses comédiens obtiennent la protection officielle de « Monsieur », le frère du roi Louis XIV, et ont la chance de faire rire le jeune souverain lors de la représentation d'une farce, *Le Docteur amoureux*. Louis XIV accorde à la troupe un lieu officiel de spectacle à Paris, la salle du Petit-Bourbon, partagée avec les Comédiens-Italiens dont le répertoire va beaucoup influencer l'œuvre de Molière. Avec sa pièce satirique *Les Précieuses ridicules* (1659), Molière rencontre simultanément le succès et la contestation qui marqueront désormais sa carrière.

***Auteur, comédien, metteur en scène et directeur de troupe***

## Un auteur à la fois acclamé et critiqué

Plusieurs comédies de Molière, applaudies par le roi et une grande partie de la cour, se heurtent aux vives critiques de ceux qui se sentent visés ainsi qu'à la rivalité des troupes concurrentes. Ainsi, *L'École des femmes* (1662), soulevant la question délicate de l'éducation des filles, est jugée obscène par le parti des dévots que soutient la mère de Louis XIV, Anne d'Autriche, et fait l'objet d'une véritable « querelle ». Le clan des dévots, représenté notamment par la Compagnie du Saint-Sacrement (p. 6-7), attaque de manière plus violente encore le *Tartuffe* en 1664 : cette deuxième « grande comédie » fait scandale avec son personnage d'imposteur qui feint une austère dévotion pour mieux escroquer son entourage. Louis XIV, cédant à la

***Le combat contre l'hypocrisie religieuse ou mondaine***

pression des dévots, doit interdire les représentations publiques de la pièce qui ne sera finalement rejouée, dans une version modifiée, qu'en 1669. Entre-temps, Molière aura riposté en écrivant *Dom Juan* (1665) puis *Le Misanthrope* (1666) : chacune à leur façon, ces deux pièces poursuivent le combat contre l'hypocrisie religieuse ou mondaine.

## Dom Juan, une contre-attaque autour d'un sujet à la mode

Forcé d'écrire une nouvelle pièce après l'interdiction de *Tartuffe*, Molière s'empare du thème légendaire de « l'athée foudroyé » et du personnage de Dom Juan, alors à la mode. S'il n'a pas eu connaissance de la pièce espagnole à l'origine du mythe (*El Burlador de Sevilla, y convidado de piedra* de Tirso de Molina), il s'inspire de deux tragi-comédies françaises au titre identique, *Le Festin de Pierre ou Le Fils criminel,* de Dorimond (1658) et de Villiers (1659), qui empruntaient ellesmêmes leur sujet à des adaptations italiennes de l'œuvre de Tirso. En jouant sur ces sources, Molière crée une œuvre originale qui transgresse les règles de la dramaturgie classique autant que les bienséances morales et religieuses.

***Une comédie mythique et explosive***

Le 15 février 1665, *Dom Juan* est vivement applaudi au théâtre du Palais-Royal, mais sera retiré de l'affiche au terme de quinze représentations, en raison de violentes critiques qui auront incité Molière à la prudence ou à l'auto-censure. *Dom Juan* est la seule des pièces de Molière à n'avoir pas été publiée du vivant de l'auteur et l'histoire des éditions successives du texte (p. 13), édulcoré ou remanié, témoigne à elle seule de la portée explosive de cette comédie aussi mythique que son héros. ■

Mme Molière, née Béjart.

# *Théâtre et société en 1665*

## Louis XIV, Roi-Soleil et mécène festif

*Un jeune roi amateur de plaisirs et de conquêtes*

Devenu roi à l'âge de cinq ans en 1643, Louis XIV ne règne véritablement qu'après la mort de Mazarin en 1661. Il entend alors gouverner en monarque absolu, qui détient son pouvoir de Dieu. Il développe un culte idolâtre de sa propre personne, réglé par un protocole minutieux et magnifié lors de fêtes somptueuses au château de Versailles. La plupart des ministres sont choisis parmi la bourgeoisie, tandis que la noblesse est employée à la guerre ou domestiquée à la cour. Amateur de plaisirs et de conquêtes féminines, le jeune Roi-Soleil (il n'a que vingt-sept ans en 1665) raffole des spectacles, du théâtre et de la danse. Poursuivant la tradition de mécénat instaurée par François Ier, Louis XIV exerce son rôle de « protecteur des arts » en distribuant des subventions et en soutenant les artistes qui lui plaisent, parfois contre la volonté de son entourage et en particulier de sa mère, l'austère Anne d'Autriche. Jusqu'à sa mort en 1666, celle-ci incarne avec les dévots la « vieille cour » opposée à la « jeune cour » festive autour du roi. Tout au long de sa carrière, Molière bénéficiera ainsi des faveurs de Louis XIV, même si celui-ci doit parfois céder aux pressions en faisant interdire *Tartuffe* ou *Dom Juan*. Ainsi, la censure exercée successivement contre ces deux pièces n'empêche pas la troupe de Molière de se voir accorder le titre officiel de « Troupe du Roi », assorti d'une forte pension en août 1665.

## Libertins et dévots

*Suspicion et persécution religieuses*

*Dom Juan* s'inscrit dans un contexte idéologique troublé par des conflits religieux, avatars des guerres de Religion du XVIe siècle et de la Contre-Réforme (réaction de l'Église catholique contre le protestantisme). Des cercles d'intellectuels dits « libertins » revendiquent la liberté de penser et d'agir en dehors des dogmes et font l'objet d'une vive suspicion, voire de persécution de la part des pouvoirs religieux. À cette époque, l'Église pourchasse tous ceux qui lui semblent s'écarter de la stricte orthodoxie catholique. C'est dans cet esprit de dévotion militante qu'a été fondée, en 1629, la Compagnie du Saint-Sacrement, organisation secrète qui mène des actions de charité en faveur des pauvres tout en s'efforçant de régenter la haute société par le biais de « directeurs de conscience ». Ce groupe influent, protégé par la Reine mère mais dissous après sa mort en 1666, mène une cabale contre le théâtre qu'il juge immoral, et particulièrement contre Molière.

## La querelle de la moralité du théâtre

Si les accusations d'immoralité prononcées contre le théâtre remontent au Moyen Âge, elles réapparaissent au cours du XVIIe siècle en raison des tensions religieuses mais aussi du succès croissant de l'art de la scène. Tout en reconnaissant la portée édifiante de certains spectacles, l'Église condamne la représentation des vices et les mœurs supposées dissolues des comédiens. Ainsi, sur leur lit de mort, ceux-ci doivent renier leur profession pour recevoir les derniers sacrements et il faudra l'intervention du roi pour faire enterrer Molière, de nuit, dans le cimetière de sa paroisse. Pourtant, le pouvoir royal soutient le théâtre : par un décret du 16 avril 1641, Louis XIII avait affirmé que les comédiens exerçant honnêtement leur métier ne devaient plus être considérés comme « infâmes ». Ce débat sur la moralité du théâtre s'intensifie à l'occasion des querelles suscitées par les pièces polémiques de Molière, telles que *L'École des femmes*, *Tartuffe* et *Dom Juan*. ■

Molière (à gauche) dînant avec Louis XIV

***Le théâtre condamné par l'Église***

# *Le goût du public en 1665*

## Les conditions de la représentation théâtrale

*Quatre troupes en concurrence*

Au XVIIe siècle, le théâtre attire un public à la fois populaire et mondain. Contrairement à aujourd'hui, les places les moins chères se trouvent au parterre où se réunissent, debout, des spectateurs souvent bruyants et agités. Des sièges sur les côtés de la scène ou des galeries latérales sont réservés aux spectateurs plus fortunés et à l'élite, qui aiment être vus autant que voir lors des représentations. La salle comme la scène sont éclairées par des chandelles.

Quatre troupes, protégées par de grands seigneurs ou par le roi, se font concurrence à Paris : les Grands Comédiens, à l'Hôtel de Bourgogne, jouent surtout des tragédies ; la troupe de Molière alterne avec celle des Comédiens-Italiens dans la salle du Petit-Bourbon qui sera remplacée en 1660 par la salle rénovée du Palais-Royal ; le Théâtre du Marais se spécialise dans le genre des « pièces à machines » jusqu'à sa fermeture, en 1673. Au château de Versailles se donnent de grands divertissements mêlant le théâtre à la musique et à la danse (comme *Les Plaisirs de l'Île enchantée* en mai 1664).

1622 Naissance de Molière

1643 Création de l'Illustre-Théâtre

1663 Querelle suscitée par *L'École des femmes*

1664 *Tartuffe* (1re version, censurée

**1610 LOUIS XIII 1643 RÉGENCE 1661 LOUIS XIV**

1629 Fondation de la Compagnie du Saint-Sacrement

1637 Querelle du *Cid*, tragi-comédie de Corneille

1639 Naissance de Racine

1640 *Horace* (tragédie de Corneille)

1642 *Cinna*, *Polyeucte* (tragédies de Corneille)

### « Pièces à machines » et héritage baroque

Avec ses six changements de décor et ses interventions surnaturelles (statue animée, spectre devenant une allégorie du Temps, feux de l'enfer qui engloutit le héros), *Dom Juan* appartient au genre du théâtre « à machines » qui éblouit le public des années 1660. Venus d'Italie, ces moyens mécaniques (fils, poulies, rails, contrepoids, etc.) permettent des « effets spéciaux » sophistiqués qui s'accordent au goût du merveilleux et de l'insolite et à la représentation spectaculaire du divin, hérités de l'art de la Contre-Réforme. Lancée par la représentation d'*Andromède* de Corneille en 1650, cette mode sera exploitée par Molière dans plusieurs de ses comédies ou comédies-ballets : *La Princesse d'Élide* en 1664, *Amphitryon et Psyché* en 1668 et 1671. L'esthétique de *Dom Juan* est également redevable à la tragi-comédie baroque qui marqua la première moitié du XVIIe siècle : pleine de péripéties et d'exubérance, cette forme théâtrale mêlant les registres est critiquée par les tenants du classicisme. Champion de l'inconstance, des apparences trompeuses et de l'illusion, le héros libertin de Molière a bien des traits de la sensibilité baroque.

***Dom Juan, champion de l'inconstance***

1665 *Dom Juan* (censuré)

1666 *Le Misanthrope*

1667 *Andromaque* (tragédie de Racine)

1668 *George Dandin ; l'Avare*

1669 *Tartuffe* (3e version, autorisée)

1670 *Le Bourgeois gentilhomme*

1670 *Bérénice* (tragédie de Racine)

1673 Molière meurt après une représentation du *Malade imaginaire*

1715

### Une pièce en rupture

La dimension subversive de *Dom Juan*, à l'égard des codes sociaux autant que des règles de la dramaturgie classique, en fait une pièce à part dans la série des « grandes comédies » de Molière. On appelle ainsi les pièces en cinq actes qui, à partir de *L'École des femmes* (1662), renouvellent le genre comique et lui donnent ses lettres de noblesse en mêlant diverses traditions : des emprunts à la farce médiévale et à la *commedia dell'arte* n'empêchent pas d'aborder des sujets sérieux et de dénoncer des travers sociaux ou moraux. La comédie est ainsi dotée d'une fonction morale aussi honorable que celle de la tragédie : corriger les mœurs par le rire, selon le vieil adage latin « *castigat ridendo mores* ». *Dom Juan* répond certes à cette ambition mais transgresse les règles classiques : écrite en prose, la pièce ne respecte pas les unités de temps (l'intrigue dure environ deux jours) ni de lieu (qui change au fil de l'errance donjuanesque). Si l'action est centrée sur la fuite en avant du héros, elle se construit en une juxtaposition d'épisodes. Le code de la bienséance est mis à mal par l'irrévérence libertine qui défie les croyances religieuses et les sacro-saintes valeurs sociales et morales (le respect dû au père, l'honneur aristocratique, le contrat du mariage, le remboursement des dettes, etc.). Le registre fantastique, utilisé dans la mise en scène du surnaturel, n'a rien de vraisemblable, et le dénouement de la pièce, pour le moins ambigu, ne correspond pas à la fin heureuse d'une comédie. Pièce « irrégulière » s'il en est, *Dom Juan* mêle et parodie constamment les genres et les registres : elle ressemble tantôt à une farce bouffonne avec les pitreries de Sganarelle ou de son maître, tantôt à une tragi-comédie aux accents cornéliens (autour de Dom Louis et des frères d'Elvire), ailleurs à une pastorale burlesque (acte II) ou à une pièce à grand spectacle (dénouement). Si ce caractère composite est aujourd'hui apprécié pour son originalité, il contribua au discrédit qui mit longtemps la pièce à l'écart. ■

**Dom Juan,** *une pièce irrégulière*

*« Un livre est un outil de liberté. »*

Jean Guéhenno

Lire...

# *Dom Juan ou Le Festin de Pierre*

1665

Molière

*Comédie*

*Texte intégral*

Frontispice de
l'édition de 1682.

## Le choix de l'édition

Le texte de *Dom Juan* pose problème car il existe plusieurs versions de la pièce, qui n'a jamais été éditée du vivant de Molière. La première édition, en 1682, est établie par le comédien La Grange (interprète du rôle de Dom Juan en 1665), qui supprime quelques passages jugés audacieux. Mais la censure exige d'autres modifications, qui sont faites sous la forme de « cartons ». L'édition de La Grange est ainsi désignée par l'expression « édition non censurée – ou non cartonnée – de 1682 » tandis que la seconde est appelée « édition censurée – ou cartonnée – de 1682 ». Par ailleurs, un libraire hollandais édite en 1683 à Amsterdam une autre version de la pièce, probablement établie d'après le manuscrit d'un comédien de la troupe du Palais-Royal, et que l'on pense plus proche de la version initiale de la pièce jouée en 1665, mais privée des retouches faites par Molière lui-même entre 1665 et 1673.
L'édition présentée ici suit la solution de compromis choisie par Georges Couton dans l'édition de la Pléiade (Gallimard) : le texte de base est celui de l'édition non censurée établie par La Grange en 1682, auquel sont ajoutés les passages que cette édition avait sacrifiés mais qui se trouvent dans l'édition hollandaise de 1683. Certaines variantes sont en outre indiquées en notes.

## *Dom* ou *Don* ?

L'orthographe *Dom Juan* est généralement utilisée pour désigner le titre de la pièce de Molière et le nom de son héros. Le terme *Dom*, issu du latin *dominus* (« seigneur »), était d'usage en français au XVIIe siècle, servant de titre honorifique en particulier dans certains ordres religieux. Quant au titre d'honneur *don*, emprunté à l'espagnol, nous l'utiliserons ici pour évoquer le mythe de Don Juan et les multiples œuvres qui s'en inspirent.

## *Pierre* ou *pierre* ?

Le sous-titre de la pièce de Molière, *Le Festin de Pierre,* reprend le titre des tragi-comédies de Dorimond et de Villiers, *Le Festin de Pierre ou le Fils criminel,* qui s'inspiraient des adaptations italiennes de la pièce espagnole de Tirso de Molina, *L'Abuseur de Séville et Le Convive de pierre*. On prit l'habitude d'écrire le mot « Pierre » avec une majuscule en raison de la ressemblance entre les mots italiens « Pietro » (le prénom) et « Pietra » (la pierre), qui avait conduit à donner le nom de Pierre au Commandeur tué par Dom Juan dans ses versions italienne et française du mythe.

*Comédie représentée pour la première fois le quinzième février 1665, sur le théâtre de la Salle du Palais-Royal par la Troupe de Monsieur, Frère Unique du Roi.*

## Les personnages

**DOM JUAN**, fils de Dom Louis.

**SGANARELLE**, valet de Dom Juan.

**ELVIRE**, femme de Dom Juan.

**GUSMAN**, écuyer d'Elvire.

**DOM CARLOS**, frère d'Elvire.

**DOM ALONSE**, frère d'Elvire.

**DOM LOUIS**, père de Dom Juan.

**FRANCISQUE**, pauvre.

**CHARLOTTE**, paysanne.

**MATHURINE**, paysanne.

**PIERROT**, paysan.

**LA STATUE DU COMMANDEUR.**

**LA VIOLETTTE**, laquais de Dom Juan.

**RAGOTIN**, laquais de Dom Juan.

**MONSIEUR DIMANCHE**, marchand.

**LA RAMÉE**, spadassin.

**SUITE DE DOM JUAN.**

**SUITE DE DOM CARLOS ET DE DOM ALONSE.**

**UN SPECTRE.**

*La scène est en Sicile.*

## Scène 1[1]

SGANARELLE, GUSMAN

SGANARELLE, *tenant une tabatière.* – Quoi que puisse dire Aristote et toute la Philosophie, il n'est rien d'égal au tabac : c'est la passion des honnêtes gens, et qui vit sans tabac n'est pas digne de vivre. Non seulement il réjouit et purge les cerveaux humains, mais encore il instruit les âmes à la vertu, et l'on apprend avec lui à devenir honnête homme. Ne voyez-vous pas bien, dès qu'on en prend, de quelle manière obligeante on en use avec tout le monde, et comme on est ravi d'en donner à droit et à gauche, partout où l'on se trouve ? On n'attend pas même qu'on en demande, et l'on court au-devant du souhait des gens : tant il est vrai que le tabac inspire des sentiments d'honneur et de vertu à tous ceux qui en prennent. Mais c'est assez de cette matière. Reprenons un peu notre discours. Si bien donc, cher Gusman, que Done Elvire, ta maîtresse, surprise de notre départ, s'est mise en campagne après nous, et son cœur, que mon maître a su toucher trop fortement, n'a pu vivre, dis-tu, sans le venir chercher ici. Veux-tu qu'entre nous je te dise ma pensée ? J'ai peur qu'elle ne soit mal payée de son amour, que son voyage en cette ville produise peu de fruit, et que vous eussiez autant gagné à ne bouger de là.

GUSMAN. – Et la raison encore ? Dis-moi, je te prie, Sganarelle, qui[2] peut t'inspirer une peur d'un si mauvais augure ? Ton maître t'a-t-il ouvert son cœur là-dessus, et t'a-t-il dit qu'il eût pour nous quelque froideur qui l'ait obligé à partir ?

### L'éloge du tabac

Introduit en France depuis le XVIe siècle, le tabac (à priser ou à fumer) faisait l'objet d'une passion controversée : Louis XIII en avait interdit la vente et le parti des dévots (p. 6-7) en condamnait l'usage, assimilé à un plaisir coupable. La référence à Aristote illustre la bouffonnerie pédante de Sganarelle puisque ce philosophe de la Grèce antique, connu notamment pour ses théories sur le théâtre, n'a rien pu dire du tabac, inconnu à son époque. ■

1. D'après le contrat passé par Molière avec deux peintres en décembre 1664, le décor de l'acte I représente un palais ouvert aux promeneurs et au travers duquel on voit un jardin.
2. Ce qui.

SGANARELLE. – Non pas ; mais, à vue de pays[1], je connais à peu près le train des choses ; et sans qu'il m'ait encore rien dit, je gagerais presque que l'affaire va là[2]. Je pourrais peut-être me tromper ; mais enfin, sur de tels sujets, l'expérience
30 m'a pu donner quelques lumières.

GUSMAN. – Quoi ? ce départ si peu prévu serait une infidélité de Dom Juan ? Il pourrait faire cette injure aux chastes feux de Done Elvire ?

SGANARELLE. – Non, c'est qu'il est jeune encore, et qu'il n'a
35 pas le courage…

GUSMAN. – Un homme de sa qualité[3] ferait une action si lâche ?

SGANARELLE. – Eh oui, sa qualité ! La raison en est belle, et c'est par là qu'il s'empêcherait des choses[4].

40 GUSMAN. – Mais les saints nœuds du mariage le tiennent engagé.

SGANARELLE. – Eh ! mon pauvre Gusman, mon ami, tu ne sais pas encore, crois-moi, quel homme est Dom Juan.

GUSMAN. – Je ne sais pas, de vrai, quel homme il peut être,
45 s'il faut qu'il nous ait fait cette perfidie ; et je ne comprends point comme après tant d'amour et tant d'impatience témoignée, tant d'hommages pressants, de vœux, de soupirs et de larmes, tant de lettres passionnées, de protestations[5] ardentes et de serments réitérés, tant de transports[6]
50 enfin et tant d'emportements qu'il a fait paraître, jusques à

1. À première vue.
2. Que l'affaire se terminera ainsi.
3. De haute noblesse.
4. C'est au nom de cela qu'il s'interdirait d'agir à sa guise.
5. Déclarations d'amour.
6. Vives manifestations d'un sentiment.

forcer, dans sa passion, l'obstacle sacré d'un couvent, pour mettre Done Elvire en sa puissance, je ne comprends pas, dis-je, comme, après tout cela, il aurait le cœur de pouvoir manquer à sa parole.

SGANARELLE. – Je n'ai pas grande peine à le comprendre, moi ; et si tu connaissais le pèlerin[7], tu trouverais la chose assez facile pour lui. Je ne dis pas qu'il ait changé de sentiments pour Done Elvire, je n'en ai point de certitude encore : tu sais que, par son ordre, je partis avant lui, et depuis son arrivée il ne m'a point entretenu ; mais, par précaution, je t'apprends, *inter nos*[8], que tu vois en Dom Juan, mon maître, le plus grand scélérat que la terre ait jamais porté, un enragé, un chien, un Diable, un Turc, un Hérétique, qui ne croit ni Ciel, ni saint, ni Dieu, ni Enfer, ni loup-garou, qui passe cette vie en véritable bête brute, en pourceau d'Épicure[9], en vrai Sardanapale[10], qui ferme l'oreille à toutes les remontrances chrétiennes[11] qu'on lui peut faire, et traite de billevesées[12] tout ce que nous croyons. Tu me dis qu'il a épousé ta maîtresse : crois qu'il aurait plus fait pour sa passion, et qu'avec elle il aurait encore épousé toi, son chien et son chat. Un mariage ne lui coûte rien à contracter ; il ne se sert point d'autres pièges pour attraper les belles, et c'est un épouseur à toutes mains[13]. Dame, demoiselle[14], bourgeoise, paysanne, il ne trouve rien de trop chaud ni de trop froid pour lui ; et si je te disais le nom de toutes celles qu'il a épousées en divers lieux, ce serait un chapitre à durer jusques au soir. Tu demeures surpris et changes de couleur à ce discours ; ce n'est là qu'une ébauche du personnage, et pour en achever le portrait, il faudrait bien d'autres coups de pinceau. Suffit qu'il faut

**7.** Individu rusé (péjoratif).

**8.** Entre nous.

**9.** Philosophe grec (341-270 av. J.-C.) dont la morale, fondée sur la recherche du plaisir, pouvait être interprétée comme une incitation à la débauche.

**10.** Roi légendaire d'Assyrie, symbolisant la débauche.

**11.** Ce mot, ainsi que « ni saint, ni Dieu », ne se trouvent que dans l'édition hollandaise de 1683 (voir p. 13).

**12.** Sottises.

**13.** Homme prêt à tous les mariages (familier).

**14.** Femme et jeune fille nobles.

« Dom Juan n'arrête pas de changer. Il miroite, insaisissable et chatoyant. »

Daniel Mesguich
*metteur en scène*

que le courroux du Ciel l'accable quelque jour ; qu'il me vaudrait bien mieux d'être au diable que d'être à lui[1], et qu'il me fait voir tant d'horreurs que je souhaiterais qu'il fût déjà je ne sais où. Mais un grand seigneur méchant homme
85 est une terrible chose ; il faut que je lui sois fidèle, en dépit que j'en aie[2] : la crainte en moi fait l'office du zèle, bride mes sentiments, et me réduit d'applaudir bien souvent à ce que mon âme déteste. Le voilà qui vient se promener dans ce palais : séparons-nous ; écoute, au moins je t'ai fait
90 cette confidence avec franchise, et cela m'est sorti un peu bien vite de la bouche ; mais s'il fallait qu'il en vînt quelque chose à ses oreilles, je dirais hautement que tu aurais menti.

## Scène 2

DOM JUAN, SGANARELLE

DOM JUAN. – Quel homme te parlait là ? Il a bien de l'air, ce me semble, du bon Gusman de Done Elvire.

SGANARELLE. – C'est quelque chose aussi à peu près de cela.

DOM JUAN. – Quoi ? c'est lui ?

SGANARELLE. – Lui-même.

DOM JUAN. – Et depuis quand est-il en cette ville ?

SGANARELLE. – D'hier au soir.

1. Être à son service.
2. À contrecœur.

DOM JUAN. – Et quel sujet l'amène ?

SGANARELLE. – Je crois que vous jugez assez ce qui le peut inquiéter. 10

DOM JUAN. – Notre départ sans doute ?

SGANARELLE. – Le bonhomme en est tout mortifié[3], et m'en demandait le sujet.

DOM JUAN. – Et quelle réponse as-tu faite ?

SGANARELLE. – Que vous ne m'en aviez rien dit.

DOM JUAN. – Mais encore, quelle est ta pensée là-dessus ? Que t'imagines-tu de cette affaire ?

SGANARELLE. – Moi, je crois, sans vous faire tort, que vous avez quelque nouvel amour en tête.

DOM JUAN. – Tu le crois ? 20

SGANARELLE. – Oui.

DOM JUAN. – Ma foi ! tu ne te trompes pas, et je dois t'avouer qu'un autre objet[4] a chassé Elvire de ma pensée.

SGANARELLE. – Eh ! mon Dieu ! je sais mon Dom Juan sur le bout du doigt, et connais votre cœur pour le plus grand coureur du monde : il se plaît à se promener de liens en liens, et n'aime guère demeurer en place.

DOM JUAN. – Et ne trouves-tu pas, dis-moi, que j'ai raison d'en user de la sorte ?

3. Désolé.
4. Femme aimée, dans le langage précieux.

30 SGANARELLE. – Eh ! Monsieur.

DOM JUAN. – Quoi ? Parle.

SGANARELLE. – Assurément que vous avez raison, si vous le voulez ; on ne peut pas aller là contre. Mais si vous ne le vouliez pas, ce serait peut-être une autre affaire.

DOM JUAN. – Eh bien ! je te donne la liberté de parler et de me dire tes sentiments.

SGANARELLE. – En ce cas, Monsieur, je vous dirai franchement que je n'approuve point votre méthode, et que je trouve fort vilain d'aimer de tous côtés comme vous faites.

DOM JUAN. – Quoi ? tu veux qu'on se lie à demeurer au premier objet qui nous prend, qu'on renonce au monde pour lui, et qu'on n'ait plus d'yeux pour personne ? La belle chose de vouloir se piquer[1] d'un faux honneur d'être fidèle, de s'ensevelir pour toujours dans une passion, et d'être mort dès sa jeunesse à toutes les autres beautés qui nous peuvent frapper les yeux ! Non, non : la constance n'est bonne que pour des ridicules ; toutes les belles ont droit de nous charmer, et l'avantage d'être rencontrée la première ne doit point dérober aux autres les justes prétentions qu'elles ont toutes sur nos cœurs. Pour moi, la beauté me ravit partout où je la trouve, et je cède facilement à cette douce violence dont elle nous entraîne. J'ai beau être engagé, l'amour que j'ai pour une belle n'engage point mon âme à faire injustice aux autres ; je conserve des yeux pour voir le mérite de toutes, et rends à chacune les hommages et les tributs où la nature nous oblige[2]. Quoi qu'il en soit, je ne puis refuser mon cœur

« Les femmes, ici, ne sont pas des femmes. Elles sont les marches d'un escalier de marbre qui mène jusqu'au ciel. »

Daniel Mesguich
*metteur en scène*

1. Se glorifier.
2. Témoignages de soumission amoureuse que les hommes seraient, par nature, obligés de rendre aux femmes.

à tout ce que je vois d'aimable ; et dès qu'un beau visage me le demande, si j'en avais dix mille, je les donnerais tous. Les inclinations[3] naissantes, après tout, ont des charmes inexplicables, et tout le plaisir de l'amour est dans le changement. On goûte une douceur extrême à réduire[4], par cent hommages, le cœur d'une jeune beauté, à voir de jour en jour les petits progrès qu'on y fait, à combattre par des transports, par des larmes et des soupirs, l'innocente pudeur d'une âme qui a peine à rendre les armes, à forcer pied à pied toutes les petites résistances qu'elle nous oppose, à vaincre les scrupules dont elle se fait un honneur et la mener doucement où nous avons envie de la faire venir. Mais lorsqu'on en est maître une fois, il n'y a plus rien à dire ni rien à souhaiter ; tout le beau de la passion est fini, et nous nous endormons dans la tranquillité d'un tel amour, si quelque objet nouveau ne vient réveiller nos désirs, et présenter à notre cœur les charmes attrayants d'une conquête à faire. Enfin, il n'est rien de si doux que de triompher de la résistance d'une belle personne, et j'ai sur ce sujet l'ambition des conquérants, qui volent perpétuellement de victoire en victoire, et ne peuvent se résoudre à borner leurs souhaits. Il n'est rien qui puisse arrêter l'impétuosité de mes désirs : je me sens un cœur à aimer toute la terre ; et comme Alexandre[5], je souhaiterais qu'il y eût d'autres mondes, pour y pouvoir étendre mes conquêtes amoureuses.

SGANARELLE. – Vertu de ma vie, comme vous débitez ! Il semble que vous avez appris cela par cœur, et vous parlez tout comme un livre.

DOM JUAN. – Qu'as-tu à dire là-dessus ?

3. Penchants amoureux.
4. Vaincre.
5. Le roi grec et conquérant Alexandre le Grand (356-323 av. J.-C.).

SGANARELLE. – Ma foi, j'ai à dire…, je ne sais ; car vous tournez les choses d'une manière, qu'il semble que vous avez raison ; et cependant il est vrai que vous ne l'avez pas. J'avais les plus belles pensées du monde, et vos discours
90 m'ont brouillé tout cela. Laissez faire : une autre fois je mettrai mes raisonnements par écrit, pour disputer[1] avec vous.

DOM JUAN. – Tu feras bien.

SGANARELLE. – Mais, Monsieur, cela serait-il de la permission que vous m'avez donnée, si je vous disais que je suis tant soit peu scandalisé de la vie que vous menez ?

DOM JUAN. – Comment ? quelle vie est-ce que je mène ?

SGANARELLE. – Fort bonne. Mais, par exemple, de vous voir tous les mois vous marier comme vous faites…

DOM JUAN. – Y a-t-il rien de plus agréable ?

100 SGANARELLE. – Il est vrai, je conçois que cela est fort agréable et fort divertissant, et je m'en accommoderais assez, moi, s'il n'y avait point de mal, mais, Monsieur, se jouer ainsi d'un mystère sacré[2], et…

DOM JUAN. – Va, va, c'est une affaire entre le Ciel et moi, et nous la démêlerons bien ensemble, sans que tu t'en mettes en peine.

SGANARELLE. – Ma foi ! Monsieur, j'ai toujours ouï dire que c'est une méchante[3] raillerie que de se railler du Ciel, et que les libertins ne font jamais une bonne fin.

1. Débattre.
2. Allusion au rite religieux du mariage.
3. Immorale et dangereuse.

Dom Juan. – Holà ! maître sot, vous savez que je vous ai dit que je n'aime pas les faiseurs de remontrances. 110

Sganarelle. – Je ne parle pas aussi à vous, Dieu m'en garde. Vous savez ce que vous faites, vous ; et si vous ne croyez rien, vous avez vos raisons ; mais il y a de certains petits impertinents dans le monde, qui sont libertins sans savoir pourquoi, qui font les esprits forts, parce qu'ils croient que cela leur sied bien ; et si j'avais un maître comme cela, je lui dirais fort nettement, le regardant en face : « Osez-vous bien ainsi vous jouer au Ciel[4], et ne tremblez-vous point de vous moquer comme vous faites des choses les plus saintes ? C'est bien 120 à vous, petit ver de terre, petit mirmidon[5] que vous êtes (je parle au maître que j'ai dit), c'est bien à vous à vouloir vous mêler de tourner en raillerie ce que tous les hommes révèrent ? Pensez-vous que pour être de qualité, pour avoir une perruque blonde et bien frisée, des plumes à votre chapeau, un habit bien doré, et des rubans couleur de feu (ce n'est pas à vous que je parle, c'est à l'autre), pensez-vous, dis-je, que vous en soyez plus habile homme, que tout vous soit permis, et qu'on n'ose vous dire vos vérités ? Apprenez de moi, qui suis votre valet, que le Ciel punit tôt ou tard les impies, 130 qu'une méchante vie amène une méchante mort, et que… »

Dom Juan. – Paix !

Sganarelle. – De quoi est-il question ?

Dom Juan. – Il est question de te dire qu'une beauté me tient au cœur, et qu'entraîné par ses appas[6], je l'ai suivie jusques en cette ville.

## Les libertins

Au XVII^e^ siècle, le mot libertin qualifie d'abord, de manière péjorative, les « esprits forts », libres-penseurs qui contestent les croyances religieuses. Par la suite, un glissement de sens favorisé par les condamnations de l'Église fera du libertin un synonyme de « débauché ». Au XVIII^e^ siècle, le libertinage désigne essentiellement la liberté des mœurs sexuelles, qui donnera lieu à un courant romanesque illustré notamment par Les Liaisons dangereuses (1782) de Laclos. ■

4. Vous moquer de Dieu, nom qui ne pouvait être prononcé sur scène.
5. Allusion au peuple mythologique des Myrmidons, issu de la métamorphose de fourmis en hommes (familier).
6. Attraits physiques.

SGANARELLE. – Et n'y craignez-vous rien, Monsieur, de la mort de ce commandeur[1] que vous tuâtes il y a six mois ?

DOM JUAN. – Et pourquoi craindre ? Ne l'ai-je pas bien tué[2] ?

140 SGANARELLE. – Fort bien, le mieux du monde, et il aurait tort de se plaindre.

DOM JUAN. – J'ai eu ma grâce de cette affaire[3].

SGANARELLE. – Oui, mais cette grâce n'éteint pas peut-être le ressentiment des parents et des amis, et…

DOM JUAN. – Ah ! n'allons point songer au mal qui nous peut arriver, et songeons seulement à ce qui nous peut donner du plaisir. La personne dont je te parle est une jeune fiancée, la plus agréable du monde, qui a été conduite ici par celui même qu'elle y vient épouser ; et le hasard me fit
150 voir ce couple d'amants[4] trois ou quatre jours avant leur voyage. Jamais je n'ai vu deux personnes être si contents l'un de l'autre, et faire éclater plus d'amour. La tendresse visible de leurs mutuelles ardeurs me donna de l'émotion ; j'en fus frappé au cœur et mon amour commença par la jalousie. Oui, je ne pus souffrir d'abord[5] de les voir si bien ensemble ; le dépit alarma[6] mes désirs, et je me figurai un plaisir extrême à pouvoir troubler leur intelligence[7], et rompre cet attachement, dont la délicatesse de mon cœur se tenait offensée ; mais jusques ici tous mes efforts ont
160 été inutiles, et j'ai recours au dernier remède. Cet époux prétendu[8] doit aujourd'hui régaler sa maîtresse d'une promenade sur mer. Sans t'en avoir rien dit, toutes choses sont préparées pour satisfaire mon amour, et j'ai une petite

1. Haut dignitaire dans un ordre militaire de chevalerie.
2. Double sens : « tué conformément aux règles du duel » et « bel et bien tué ».
3. La sanction que j'encourais pour ce duel a été levée.
4. Amoureux.
5. Dès le début.
6. Éveilla.
7. Entente.
8. Futur mari.

barque et des gens, avec quoi fort facilement je prétends enlever la belle.

SGANARELLE. – Ha ! Monsieur…

DOM JUAN. – Hen ?

SGANARELLE. – C'est fort bien à vous[9], et vous le prenez comme il faut. Il n'est rien tel en ce monde que de se contenter[10].

DOM JUAN. – Prépare-toi donc à venir avec moi, et prends soin toi-même d'apporter toutes mes armes, afin que… Ah ! rencontre fâcheuse. Traître, tu ne m'avais pas dit qu'elle était ici elle-même. 170

SGANARELLE. – Monsieur, vous ne me l'avez pas demandé.

DOM JUAN. – Est-elle folle, de n'avoir pas changé d'habit, et de venir en ce lieu-ci avec son équipage de campagne[11] ?

## Scène 3

DONE ELVIRE, DOM JUAN, SGANARELLE

DONE ELVIRE. – Me ferez-vous la grâce, Dom Juan, de vouloir bien me reconnaître ? et puis-je au moins espérer que vous daigniez tourner le visage de ce côté ?

DOM JUAN. – Madame, je vous avoue que je suis surpris, et que je ne vous attendais pas ici.

9. Vous faites bien.
10. Se faire plaisir.
11. Tenue de campagne.

DONE ELVIRE. – Oui, je vois bien que vous ne m'y attendiez pas ; et vous êtes surpris, à la vérité, mais tout autrement que je ne l'espérais ; et la manière dont vous le paraissez me persuade pleinement ce que je refusais de croire. J'admire ma simplicité[1] et la faiblesse de mon cœur à douter d'une trahison que tant d'apparences me confirmaient. J'ai été assez bonne, je le confesse, ou plutôt assez sotte pour me vouloir tromper moi-même, et travailler à démentir mes yeux et mon jugement. J'ai cherché des raisons pour excuser à ma tendresse[2] le relâchement d'amitié[3] qu'elle voyait en vous ; et je me suis forgé exprès cent sujets légitimes d'un départ si précipité, pour vous justifier du crime dont ma raison vous accusait. Mes justes soupçons chaque jour avaient beau me parler : j'en rejetais la voix qui vous rendait criminel à mes yeux, et j'écoutais avec plaisir mille chimères[4] ridicules qui vous peignaient innocent à mon cœur. Mais enfin cet abord[5] ne me permet plus de douter, et le coup d'œil qui m'a reçue m'apprend bien plus de choses que je ne voudrais en savoir. Je serai bien aise pourtant d'ouïr de votre bouche les raisons de votre départ. Parlez, Dom Juan, je vous prie, et voyons de quel air[6] vous saurez vous justifier !

DOM JUAN. – Madame, voilà Sganarelle qui sait pourquoi je suis parti.

SGANARELLE. – Moi, Monsieur ? Je n'en sais rien, s'il vous plaît.

DONE ELVIRE. – Hé bien ! Sganarelle, parlez. Il n'importe de quelle bouche j'entende ces raisons.

DOM JUAN, *faisant signe d'approcher à Sganarelle.* – Allons, parle donc à Madame.

1. Naïveté.
2. Au XVII$^{e}$ siècle, terme le plus fort pour désigner l'amour-passion.
3. Amour.
4. Histoires.
5. Accueil.
6. De quelle manière.

SGANARELLE, *bas à Dom Juan.* – Que voulez-vous que je dise ?

DONE ELVIRE. – Approchez, puisqu'on le veut ainsi, et me dites un peu les causes d'un départ si prompt.

DOM JUAN. – Tu ne répondras pas ?

SGANARELLE, *bas à Dom Juan.* – Je n'ai rien à répondre. Vous vous moquez de votre serviteur.

DOM JUAN. – Veux-tu répondre, te dis-je ? 40

SGANARELLE. – Madame…

DONE ELVIRE. – Quoi ?

SGANARELLE, *se retournant vers son maître.* – Monsieur…

DOM JUAN, *en le menaçant.* – Si…

SGANARELLE. – Madame, les conquérants, Alexandre et les autres mondes sont causes de notre départ. Voilà, monsieur, tout ce que je puis dire.

DONE ELVIRE. – Vous plaît-il, Dom Juan, nous éclaircir ces beaux mystères ?

DOM JUAN. – Madame, à vous dire la vérité… 50

DONE ELVIRE. – Ah ! que vous savez mal vous défendre pour un homme de cour, et qui doit être accoutumé à ces sortes de choses ! J'ai pitié de vous voir la confusion que vous avez. Que ne vous armez-vous le front d'une noble effronterie[7] ? Que ne me jurez-vous que vous êtes toujours dans les mêmes

7. Audace.

sentiments pour moi, que vous m'aimez toujours avec une ardeur sans égale, et que rien n'est capable de vous détacher de moi que la mort ? Que ne me dites-vous que des affaires de la dernière conséquence[1] vous ont obligé à partir sans m'en donner avis ; qu'il faut que, malgré vous, vous demeuriez ici quelque temps, et que je n'ai qu'à m'en retourner d'où je viens, assurée que vous suivrez mes pas le plus tôt qu'il vous sera possible ; qu'il est certain que vous brûlez de me rejoindre, et qu'éloigné de moi, vous souffrez ce que souffre un corps qui est séparé de son âme ? Voilà comme il faut vous défendre, et non pas être interdit[2] comme vous êtes.

DOM JUAN. – Je vous avoue, Madame, que je n'ai point le talent de dissimuler, et que je porte un cœur sincère. Je ne vous dirai point que je suis toujours dans les mêmes sentiments pour vous, et que je brûle de vous rejoindre, puisque enfin il est assuré que je ne suis parti que pour vous fuir ; non point par les raisons que vous pouvez vous figurer, mais par un pur motif de conscience, et pour ne croire pas[3] qu'avec vous davantage je puisse vivre sans péché. Il m'est venu des scrupules, Madame, et j'ai ouvert les yeux de l'âme sur ce que je faisais. J'ai fait réflexion que, pour vous épouser, je vous ai dérobée à la clôture d'un couvent, que vous avez rompu des vœux qui vous engageaient autre part, et que le Ciel est fort jaloux de ces sortes de choses. Le repentir m'a pris, et j'ai craint le courroux[4] céleste ; j'ai cru que notre mariage n'était qu'un adultère déguisé, qu'il nous attirerait quelque disgrâce d'en haut, et qu'enfin je devais tâcher de vous oublier, et vous donner moyen de retourner à vos premières chaînes[5]. Voudriez-vous, Madame, vous opposer à une si sainte pensée, et que j'allasse, en vous retenant, me mettre le Ciel sur les bras, que par… ?

1. De la plus haute importance.
2. Surpris, déconcerté.
3. Parce que je ne crois pas.
4. Colère.
5. Engagements (ici, envers Dieu).

DONE ELVIRE. – Ah ! scélérat, c'est maintenant que je te connais tout entier ; et pour mon malheur, je te connais lorsqu'il n'en est plus temps, et qu'une telle connaissance ne peut plus me servir qu'à me désespérer. Mais sache que ton crime ne demeurera pas impuni, et que le même Ciel dont tu te joues me saura venger de ta perfidie. 90

DOM JUAN. – Sganarelle, le Ciel[6] !

SGANARELLE. – Vraiment oui, nous nous moquons bien de cela, nous autres.

DOM JUAN. – Madame…

DONE ELVIRE. – Il suffit. Je n'en veux pas ouïr davantage, et je m'accuse même d'en avoir trop entendu. C'est une lâcheté que de se faire expliquer trop sa honte ; et, sur de tels sujets, un noble cœur, au premier mot, doit prendre son parti. N'attends pas que j'éclate ici en reproches et en injures : 100 non, non, je n'ai point un courroux à exhaler en paroles vaines, et toute sa chaleur se réserve pour sa vengeance. Je te le dis encore, le Ciel te punira, perfide, de l'outrage que tu me fais ; et si le Ciel n'a rien que tu puisses appréhender[7], appréhende du moins la colère d'une femme offensée.

SGANARELLE. – Si le remords le pouvait prendre !

DOM JUAN, *après une petite réflexion*. – Allons songer à l'exécution de notre entreprise amoureuse.

SGANARELLE, *seul*. – Ah ! quel abominable maître me vois-je obligé de servir ! 110

6. Cette réplique et celle de Sganarelle qui la suit ont été supprimées dans l'édition censurée de 1682.

7. Craindre.

*Dom Juan* (Redjep Mitrovitsa), *Charlotte* (Dominique Gubser), *Mathurine* (Julie Recoing), mise en scène de Brigitte Jaques-Wajeman, Théâtre de l'Odéon, Paris, 2000.

## Scène 1[1]

CHARLOTTE, PIERROT

CHARLOTTE – Nostre-dinse[2], Piarrot, tu t'es trouvé là bien à point.

PIERROT – Parquienne, il ne s'en est pas falu l'époisseur d'une éplinque qu'ils ne se sayant nayés tous deux.

CHARLOTTE – C'est donc le coup de vent da matin qui les avait ranvarsés dans la mar[3].

PIERROT – Aga guien[4], Charlotte, je m'en vas te conter tout fin drait comme cela est venu : car, comme dit l'autre, je les ay le premier avisés, avisés le premier je les ay. Enfin donc, j'estions[5] sur le bord de la mar, moy et le gros Lucas, et je nous amusions à batifoler avec des mottes de tarre que je nous jesquions à la teste ; car, comme tu sçais bian, le gros Lucas aime à batifoler, et moy par fouas je batifole itou[6]. En batifolant donc, pisque batifoler y a, j'ay apparceu de tout loin queuque chose qui groüilloit dans gliau[7], et qui venoit comme envars nou par secousse. Je voyois cela fixiblement[8], et pis tout d'un coup je voyois que je ne voyois plus rien. Eh ! Lucas, çay-je fait, je pense que ula des hommes qui nageant là-bas. Voire, ce ma til fait, t'as esté au trépassement d'un chat, tas la veuë trouble. Pal sanquienne, çay je fait, je n'ay point la veuë trouble, ce sont des hommes. Point du tout, ce ma til fait, t'as la barluë. Veux tu gager[9], çay je fait, que je nay point la barluë, çay je fait, et que ce sont deux hommes, çay je fait, qui nageant droit icy, çay je fait. Morquenne, ce ma til fait, je gage

1. Le décor de l'acte II représente un hameau de verdure et une grotte au bord de la mer.
2. Juron déformant la prononciation de Notre-Dame (Marie, mère de Jésus).
3. L'un des traits phonétiques du patois est l'inversion du [e] en [a] comme dans Piarrot, mar, etc.
4. Regarde, tiens.
5. C'est une autre particularité du patois d'inverser les formes du singulier et du pluriel.
6. Aussi.
7. L'eau.
8. Mot valise créé à partir de fixement et visiblement.
9. Parier.

que non. Ô ça, çay je fait, veux tu gager dix sols[1] que si ? Je le veux bian, ce ma til fait, et pour te montrer, ula argent su jeu, ce ma til fait. Moy, je n'ay point esté ny fou, ny estourdy, j'ay bravement bouté[2] à tarre quatre pièces tapées[3], et cinq sols en doubles, jergniguenne aussi hardiment que si j'avois avalé un varre de vin : car je ses hazardeux moy, et je vas à la debandade[4]. Je sçavois bian ce que je faisois pourtant, queuque gniais[5] ! Enfin donc, je n'avons pas putost eü gagé que javon veu les deux hommes tout à plain[6] qui nous faisiant signe de les aller querir, et moy de tirer auparavant les enjeux. Allons, Lucas, çay je dit, tu vois bian qu'ils nous appellont : allons viste à leu secours. Non, ce ma til dit, ils mont fait pardre. Ô donc tanquia, qua la par fin pour le faire court, je l'ay tant sarmonné, que je nous sommes boutés dans une barque, et pis j'avons tant fait cahin, caha, que je les avons tirés de gliau, et pis je les avons menés cheux nous auprés du feu, et pis ils se sant dépoüillés tous nuds pour se secher, et pis il y en est venu encor deux de la mesme bande qui sequiant sauvez tout seuls, et pis Maturine est arrivée là à qui l'en a fait les doux yeux. Vla justement, Charlotte, comme tout ça s'est fait.

CHARLOTTE – Ne m'as-tu pas dit, Piarrot, qu'il y en a un qu'est bien pû mieux fait que les autres.

PIERROT – Oüy, c'est le Maître, il faut que ce soit queuque gros gros Monsieur, car il a du dor à son habit tout de pis le haut jusqu'en bas, et ceux qui le servont sont des Monsieux eux-mesme, et stapandant, tout gros Monsieur qu'il est, il seroit par ma fique[7] nayé si je n'aviomme esté là.

CHARLOTTE – Ardez[8] un peu.

## Un patois théâtral

Le dialogue des paysans dans cette scène est une adaptation théâtrale du patois parlé à l'époque dans les environs de Paris. Molière s'inspire ici de la pièce de Cyrano de Bergerac, *Le Pédant* joué (écrite vers 1654 mais jamais jouée), qui fut la première à recourir au langage paysan. ■

1. Monnaie de l'époque.
2. Posé, mis.
3. Pièces marquées d'une fleur de lys. La somme mise en jeu ici est de faible valeur.
4. Sans réfléchir.
5. Tournure elliptique : « Je ne suis pas si niais que ça ! »
6. Juste devant nous.
7. Par ma foi.
8. Regardez.

PIERROT – Ô Parquenne, sans nous, il en avoit pour sa maine de fèves[9].

CHARLOTTE – Est-il encore cheux toy tout nu, Piarrot ?

PIERROT – Nannain, ils l'avont r'habillé tout devant nous. Mon quieu, je n'en avois jamais veu s'habiller, que d'histoires et d'angigorniaux[10] boutont[11] ces Messieus-là les Courtisans, je me pardrois là dedans pour moy, et j'estois tout ebobi de voir ça. Quien, Charlotte, ils avont des cheveux qui ne tenont point à leu teste, et ils boutont ça aprés tout, comme un gros bonnet de filace. Ils ant des chemises qui ant des manches où j'entrerions tout brandis toy et moy. En glieu d'haut de chausse[12], ils portont un garderobe[13] aussi large que d'icy à Pasque, en glieu de pourpoint[14], de petites brassieres, qui ne leu venont pas usqu'au brichet[15], et en glieu de rabas[16] un grand mouchoir de cou à reziau[17] aveuc quatre grosses houpes[18] de linge qui leu pendont sur l'estomaque. Ils avont itou d'autres petits rabats au bout des bras, et de grands entonnois de passement aux jambes[19], et parmy tout ça tant de rubans, tant de rubans, que c'est une vraye piquié. Ignia pas jusqu'aux souliers qui n'en soiont farcis tout de pis un bout jusqu'à l'autre, et ils sont faits d'eune façon que je me romprois le cou aveuc.

CHARLOTTE – Par ma fy, Piarrot, il faut que j'aille voir un peu ça.

PIERROT – Ô acoute un peu auparavant, Charlotte, j'ay queuque autre chose à te dire, moy.

CHARLOTTE – Et bian, dy, qu'est-ce que c'est ?

9. Il avait son compte.
10. Fanfreluches, objets compliqués.
11. Mettent.
12. Culotte, ancêtre du pantalon.
13. Tablier.
14. Veste.
15. Estomac.
16. Col.
17. Dentelle.
18. Pans de tissu.
19. Grandes collerettes en dentelle.

## Les jurons

Jurer consiste à prononcer de manière sacrilège des noms d'êtres ou de choses sacrés. Pour atténuer la portée blasphématoire des jurons, on déforme la prononciation de l'injure et du nom de Dieu. Par exemple, *morbleu* est un euphémisme signifiant par la mort de Dieu. Le patois utilisé ici comporte de nombreux jurons similaires : *parquienne* (*par Dieu*), *pal sanquienne* (*par le sang de Dieu*), *marquenne* (*par la mère de Dieu*), *morquenne* ou *morqué* (*par la mort de Dieu*), *jergniguenne* (*je renie Dieu*), *testiguienne* ou *testigué* (*par la tête de Dieu*), *ventrequienne* (*par le ventre de Dieu*), etc. ■

80 PIERROT – Vois-tu, Charlotte, il faut, comme dit l'autre, que je débonde mon cœur. Je taime, tu le sçais bian, et je somme pour estre mariez ensemble, mais marquenne, je ne suis point satisfait de toy.

CHARLOTTE – Quement ? qu'est-ce que c'est donc qu'iglia ?

PIERROT – Iglia que tu me chagraignes l'esprit franchement.

CHARLOTTE – Et quement donc ?

PIERROT – Testiguienne, tu ne maimes point.

CHARLOTTE – Ah, ah, n'est-ce que ça ?

PIERROT – Oüy, ce n'est que ça, et c'est bian assez.

90 CHARLOTTE – Mon quieu, Piarrot, tu me viens toujou dire la mesme chose.

PIERROT – Je te dis toujou la mesme chose, parce que c'est toujou la mesme chose, et si ce n'estoit pas toujou la mesme chose, je ne te dirois pas toujou la mesme chose.

CHARLOTTE – Mais, qu'est-ce qu'il te faut ? que veux-tu ?

PIERROT – Jerniquenne, je veux que tu m'aimes.

CHARLOTTE – Est-ce que je ne taime pas ?

PIERROT – Non, tu ne maimes pas, et si[1] je fais tout ce que je pis pour ça. Je tachete, sans reproche, des rubans à tous
100 les Marciers qui passont, je me romps le cou à taller denicher des marles[2], je fais jouër pour toy les Vielleux[3] quand

1. Et pourtant.
2. Merles.
3. Joueurs de vielle, instrument de musique à cordes.

ce vient ta feste, et tout ça comme si je me frapois la teste contre un mur. Vois-tu, ça n'est ny biau ny honneste de naimer pas les gens qui nous aimont.

CHARLOTTE – Mais, mon guieu, je taime aussi.

PIERROT – Oüy, tu maimes dune belle deguaine.

CHARLOTTE – Quement veux tu donc qu'on fasse ?

PIERROT – Je veux que l'en fasse comme l'en fait quand l'en aime comme il faut.

CHARLOTTE – Ne taimay-je pas aussi comme il faut ? 110

PIERROT – Non, quand ça est, ça se void, et l'en fait mille petites singeries aux personnes quand on les aime du bon du cœur. Regarde la grosse Thomasse comme elle est assotée[4] du jeune Robain, alle est toujou autour de ly à lagacer, et ne le laisse jamais en repos. Toujou al ly fait queuque niche, ou ly baille queuque taloche en passant, et l'autre jour qu'il estoit assis sur un escabiau, al fut le tirer de dessous ly, et le fit choir tout de son long par tarre. Jarny[5] vla où len voit les gens qui aimont, mais toy, tu ne me dis jamais mot, t'es toujou là comme eune vraye souche de bois, et je 120 passerois vingt fois devant toy que tu ne te groüillerois pas pour me bailler le moindre coup, ou me dire la moindre chose. Ventrequenne, ça n'est pas bian, aprés tout, et t'es trop froide pour les gens.

CHARLOTTE – Que veux-tu que j'y fasse ? C'est mon himeur, et je ne me pis refondre.

4. Très amoureuse (au point d'en être « sotte »).
5. Forme abrégée du juron *jarnicoton* (« je renie Coton »), où le nom de l'abbé Coton, confesseur d'Henri IV, permettait d'atténuer le blasphème en évitant de prononcer le nom de Dieu.

PIERROT – Ignia himeur qui quienne, quand en a de l'amiquié pour les personnes, lan en baille toujou queuque petite signifiance.

130 CHARLOTTE – Enfin, je t'aime tout autant que je pis, et si tu n'es pas content de ça, tu n'as qu'à en aimer queuquautre.

PIERROT – Eh bien, vla pas mon conte ? Testigué, si tu m'aimois, me dirois-tu ça ?

CHARLOTTE – Pourquoy me viens-tu aussi tarabuster l'esprit ?

PIERROT – Morqué, queu mal te fais-je ? je ne te demande qu'un peu d'amiquié.

CHARLOTTE – Et bian, laisse faire aussi, et ne me presse point tant, peut-estre que ça viendra tout d'un coup sans y songer.

PIERROT – Touche donc là[1], Charlotte.

140 CHARLOTTE – Et bien, quien.

PIERROT – Promets-moy donc que tu tâcheras de maimer davantage.

CHARLOTTE – J'y feray tout ce que je pourray, mais il faut que ça vienne de luy-mesme. Piarrot, est-ce là ce Monsieur ?

PIERROT – Oüy, le ula.

CHARLOTTE – Ah, mon quieu, qu'il est genty[2], et que ç'auroit esté dommage qu'il eust été nayé.

PIERROT – Je revians tout à l'heure, je m'en vas boire chopaine, pour me rebouter tant soit peu de la fatigue, que j'ays eüe.

## « Touche donc là »

Voici la première occurrence d'un geste chargé de sens symbolique et réitéré au cours de la pièce : Dom Juan, champion des engagements trompeurs, tapera également la main de Charlotte (acte II, scène 2) ou de M. Dimanche (acte IV, scène 3,) pour sceller un contrat de dupes, avant d'accepter de donner la main à la Statue comme pour la défier ou, au contraire, accepter son châtiment. ■

1. Tope là : taper la main en signe d'acceptation d'un marché ou d'un défi.
2. Qu'il a belle allure !

## Scène 2

DOM JUAN, SGANARELLE, CHARLOTTE

DOM JUAN – Nous avons manqué notre coup, Sganarelle, et cette bourrasque imprévue a renversé avec notre barque le projet que nous avions fait ; mais, à te dire vrai, la paysanne que je viens de quitter répare ce malheur, et je lui ai trouvé des charmes qui effacent de mon esprit tout le chagrin que me donnait le mauvais succès de notre entreprise. Il ne faut pas que ce cœur m'échappe, et j'y ai déjà jeté des dispositions à ne pas me souffrir longtemps de pousser des soupirs[3].

SGANARELLE – Monsieur, j'avoue que vous m'étonnez. À peine sommes-nous échappés d'un péril de mort qu'au lieu de rendre grâce au Ciel de la pitié qu'il a daigné prendre de nous, vous travaillez tout de nouveau à attirer sa colère par vos fantaisies accoutumées et vos amours cr…[4]. Paix ! coquin que vous êtes ; vous ne savez ce que vous dites, et Monsieur sait ce qu'il fait. Allons.

10

DOM JUAN, *apercevant Charlotte.* – Ah ! ah ! d'où sort cette autre paysanne, Sganarelle ? As-tu rien vu de plus joli ? et ne trouves-tu pas, dis-moi, que celle-ci vaut bien l'autre ?

SGANARELLE – Assurément. Autre pièce[5] nouvelle.

20

DOM JUAN – D'où me vient, la belle, une rencontre si agréable ? Quoi ? dans ces lieux champêtres, parmi ces arbres et ces rochers, on trouve des personnes faites comme vous êtes ?

3. Ne pas me laisser longtemps soupirer en vain.
4. Criminelles.
5. Tromperie (le mot s'employait dans l'expression faire des pièces à quelqu'un, « le tromper », par comparaison avec une pièce de théâtre qui donne l'illusion de la réalité).

CHARLOTTE – Vous voyez, Monsieur.

DOM JUAN – Êtes-vous de ce village ?

CHARLOTTE – Oui, Monsieur.

DOM JUAN – Et vous y demeurez ?

CHARLOTTE – Oui, Monsieur.

DOM JUAN – Vous vous appelez ?

30 CHARLOTTE – Charlotte, pour vous servir.

DOM JUAN – Ah ! la belle personne, et que ses yeux sont pénétrants !

CHARLOTTE – Monsieur, vous me rendez toute honteuse.

DOM JUAN – Ah ! n'ayez point de honte d'entendre dire vos vérités. Sganarelle, qu'en dis-tu ? Peut-on voir rien de plus agréable ? Tournez-vous un peu, s'il vous plaît. Ah ! que cette taille est jolie ! Haussez un peu la tête, de grâce. Ah ! que ce visage est mignon ! Ouvrez vos yeux entièrement. Ah ! qu'ils sont beaux ! Que je voie un peu vos dents, je vous prie.
40 Ah ! qu'elles sont amoureuses[1], et ces lèvres appétissantes ! Pour moi, je suis ravi, et je n'ai jamais vu une si charmante personne.

CHARLOTTE – Monsieur, cela vous plaît à dire, et je ne sais pas si c'est pour vous railler de moi.

DOM JUAN – Moi, me railler de vous ? Dieu m'en garde ! Je vous aime trop pour cela, et c'est du fond du cœur que je vous parle.

1. Dignes d'être aimées.

CHARLOTTE – Je vous suis bien obligée, si ça est.

DOM JUAN – Point du tout ; vous ne m'êtes point obligée de tout ce que je dis, et ce n'est qu'à votre beauté que vous en êtes redevable. 50

CHARLOTTE – Monsieur, tout ça est trop bien dit pour moi, et je n'ai pas d'esprit pour vous répondre.

DOM JUAN – Sganarelle, regarde un peu ses mains.

CHARLOTTE – Fi ! Monsieur, elles sont noires comme je ne sais quoi.

DOM JUAN – Ha ! que dites-vous là ? Elles sont les plus belles du monde ; souffrez que je les baise, je vous prie.

CHARLOTTE – Monsieur, c'est trop d'honneur que vous me faites, et si j'avais su ça tantôt, je n'aurais pas manqué de les laver avec du son. 60

DOM JUAN – Et dites-moi un peu, belle Charlotte, vous n'êtes pas mariée sans doute ?

CHARLOTTE – Non, Monsieur ; mais je dois bientôt l'être avec Piarrot, le fils de la voisine Simonette.

DOM JUAN – Quoi ? une personne comme vous serait la femme d'un simple paysan ! Non, non : c'est profaner tant de beautés, et vous n'êtes pas née pour demeurer dans un village. Vous méritez sans doute une meilleure fortune[2], et le Ciel, qui le connaît bien[3], m'a conduit ici tout exprès pour empêcher ce mariage, et rendre justice à vos charmes ; car 70

2. Sort, destinée.
3. Qui le sait bien.

enfin, belle Charlotte, je vous aime de tout mon cœur, et il ne tiendra qu'à vous que je vous arrache de ce misérable lieu, et ne vous mette dans l'état où vous méritez d'être. Cet amour est bien prompt sans doute ; mais quoi ? c'est un effet, Charlotte, de votre grande beauté, et l'on vous aime autant en un quart d'heure qu'on ferait une autre[1] en six mois.

CHARLOTTE – Aussi vrai, Monsieur, je ne sais comment faire quand vous parlez. Ce que vous dites me fait aise, et j'aurais 80 toutes les envies du monde de vous croire ; mais on m'a toujou dit qu'il ne faut jamais croire les monsieux, et que vous autres courtisans êtes des enjoleus, qui ne songez qu'à abuser les filles.

DOM JUAN – Je ne suis pas de ces gens-là.

SGANARELLE – Il n'a garde.

CHARLOTTE – Voyez-vous, Monsieur, il n'y a pas plaisir à se laisser abuser. Je suis une pauvre paysanne ; mais j'ai l'honneur en recommandation[2], et j'aimerais mieux me voir morte que de me voir déshonorée.

90 DOM JUAN – Moi, j'aurais l'âme assez méchante pour abuser une personne comme vous ? Je serais assez lâche pour vous déshonorer ? Non, non : j'ai trop de conscience pour cela. Je vous aime, Charlotte, en tout bien et en tout honneur ; et pour vous montrer que je vous dis vrai, sachez que je n'ai point d'autre dessein que de vous épouser : en voulez-vous un plus grand témoignage ? M'y voilà prêt quand vous voudrez ; et je prends à témoin l'homme que voilà de la parole que je vous donne.

1. Qu'on aimerait une autre.
2. Le sens de l'honneur.

SGANARELLE – Non, non, ne craignez point : il se mariera avec vous tant que vous voudrez. 100

DOM JUAN – Ah ! Charlotte, je vois bien que vous ne me connaissez pas encore. Vous me faites grand tort de juger de moi par les autres ; et s'il y a des fourbes dans le monde, des gens qui ne cherchent qu'à abuser des filles, vous devez me tirer du nombre, et ne pas mettre en doute la sincérité de ma foi. Et puis votre beauté vous assure de tout. Quand on est faite comme vous, on doit être à couvert de toutes ces sortes de crainte ; vous n'avez point l'air, croyez-moi, d'une personne qu'on abuse ; et pour moi, je l'avoue, je me percerais le cœur de mille coups, si j'avais eu la moindre 110 pensée de vous trahir.

CHARLOTTE – Mon Dieu ! je ne sais si vous dites vrai, ou non ; mais vous faites que l'on vous croit.

DOM JUAN – Lorsque vous me croirez, vous me rendrez justice assurément, et je vous réitère encore la promesse que je vous ai faite. Ne l'acceptez-vous pas, et ne voulez-vous pas consentir à être ma femme ?

CHARLOTTE – Oui, pourvu que ma tante le veuille.

DOM JUAN – Touchez donc là, Charlotte, puisque vous le voulez bien de votre part. 120

CHARLOTTE – Mais au moins, Monsieur, ne m'allez pas tromper, je vous prie : il y aurait de la conscience à vous[3], et vous voyez comme j'y vais à la bonne foi[4].

3. Vous auriez un poids sur la conscience, une faute à vous reprocher.
4. Je suis de bonne foi.

DOM JUAN – Comment ? Il semble que vous doutiez encore de ma sincérité ! Voulez-vous que je fasse des serments épouvantables ? Que le Ciel…

CHARLOTTE – Mon Dieu, ne jurez point, je vous crois.

DOM JUAN – Donnez-moi donc un petit baiser pour gage de votre parole.

130 CHARLOTTE – Oh ! Monsieur, attendez que je soyons mariés, je vous prie ; après ça, je vous baiserai tant que vous voudrez.

DOM JUAN – Eh bien ! belle Charlotte, je veux tout ce que vous voulez ; abandonnez-moi seulement votre main, et souffrez que, par mille baisers, je lui exprime le ravissement où je suis…

## Scène 3

DOM JUAN, SGANARELLE, PIERROT, CHARLOTTE

PIERROT, *se mettant entre deux et poussant Dom Juan.* – Tout doucement, Monsieur, tenez-vous, s'il vous plaît. Vous vous échauffez trop, et vous pourriez gagner la purésie[1].

DOM JUAN, *repoussant rudement Pierrot.* – Qui m'amène cet impertinent ?

PIERROT – Je vous dis qu'ou[2] vous tegniez[3], et qu'ou ne caressiais point nos accordées[4].

1. Pleurésie (maladie respiratoire).
2. *Ou* et *ous* sont deux formes utilisées pour vous dans le patois paysan.
3. Vous vous retenez.
4. Fiancées, promises.

DOM JUAN, *continue de le repousser.* – Ah ! que de bruit !

PIERROT – Jerniquenne[5] ! ce n'est pas comme ça qu'il faut pousser les gens. 10

CHARLOTTE, *prenant Pierrot par le bras.* – Et laisse-le faire aussi, Piarrot.

PIERROT – Quement ? que je le laisse faire ? Je ne veux pas, moi.

DOM JUAN – Ah !

PIERROT – Testiguenne ! parce qu'ous estes Monsieu, ous viendrez caresser nos femmes à notre barbe ? Allez-v's-en caresser les vôtres.

DOM JUAN – Heu ?

PIERROT – Heu. *(Dom Juan lui donne un soufflet.)* Testigué ! ne me frappez pas. *(Autre soufflet.)* Oh ! jernigué ! *(Autre soufflet.)* Ventrequé ! *(Autre soufflet.)* Palsanqué ! Morquenne ! ça n'est pas bian de battre les gens, et ce n'est pas là la récompense de v's avoir sauvé d'estre nayé. 20

CHARLOTTE – Piarrot, ne te fâche point.

PIERROT – Je me veux fâcher ; et t'es une vilainte, toi, d'endurer qu'on te cajole.

CHARLOTTE – Oh ! Piarrot, ce n'est pas ce que tu penses. Ce monsieur veut m'épouser, et tu dois pas te bouter en colère.

PIERROT – Quement ? Jerni ! Tu m'es promise. 30

5. Juron.

CHARLOTTE – Ça n'y fait rien, Piarrot. Si tu m'aimes, ne dois-tu pas estre bien aise que je devienne Madame ?

PIERROT – Jerniqué ! non. J'aime mieux te voir crevée que de te voir à un autre.

CHARLOTTE – Va, va, Piarrot, ne te mets point en peine : si je sis Madame, je te ferai gagner queuque chose, et tu apporteras du beurre et du fromage cheux nous.

PIERROT – Ventrequenne ! je gni en porterai jamais, quand tu m'en poyrais deux fois autant. Est-ce donc comme ça
40 que t'écoutes ce qu'il te dit ? Morquenne ! si j'avais su ça tantost, je me serais bian gardé de le tirer de gliau, et je gli aurais baillé un bon coup d'aviron sur la teste.

DOM JUAN, *s'approchant de Pierrot pour le frapper.* – Qu'est-ce que vous dites ?

PIERROT, *s'éloignant derrière Charlotte.* – Jerniquenne ! je ne crains personne.

DOM JUAN, *passe du côté où est Pierrot.* – Attendez-moi un peu.

PIERROT, *repasse de l'autre côté de Charlotte.* – Je me moque de tout, moi.

50 DOM JUAN, *court après Pierrot.* – Voyons cela.

PIERROT, *se sauve encore derrière Charlotte.* – J'en avons bien vu d'autres.

DOM JUAN – Houais !

SGANARELLE – Eh ! Monsieur, laissez là ce pauvre misérable. C'est conscience de le battre. Écoute, mon pauvre garçon, retire-toi, et ne lui dis rien.

PIERROT, *passe devant Sganarelle, et dit fièrement à Dom Juan.* – Je veux lui dire, moi.

DOM JUAN, *lève la main pour donner un soufflet à Pierrot, qui baisse la tête et Sganarelle reçoit le soufflet.* – Ah ! je vous apprendrai. 60

SGANARELLE, *regardant Pierrot qui s'est baissé pour éviter le soufflet.* – Peste soit du maroufle[1] !

DOM JUAN – Te voilà payé de ta charité.

PIERROT – Jarni ! je vas dire à sa tante tout ce ménage-ci[2].

DOM JUAN – Enfin je m'en vais être le plus heureux de tous les hommes, et je ne changerais pas mon bonheur à toutes les choses du monde. Que de plaisirs quand vous serez ma femme ! et que…

## Scène 4

DOM JUAN, SGANARELLE, CHARLOTTE, MATHURINE

SGANARELLE, *apercevant Mathurine.* – Ah ! ah !

MATHURINE, *à Dom Juan.* – Monsieur, que faites-vous donc là avec Charlotte ? Est-ce que vous lui parlez d'amour aussi ?

1. Maraud, fripon.
2. Cette affaire.

« Dom Juan dit aimer aimer les femmes ; mais on pourrait dire tout aussi bien qu'il les déteste (il les bafoue et les brise). »

Daniel Mesguich
*metteur en scène*

DOM JUAN, *bas, à Mathurine.* – Non, au contraire, c'est elle qui me témoignait une envie d'être ma femme, et je lui répondais que j'étais engagé à vous.

CHARLOTTE – Qu'est-ce que c'est donc que vous veut Mathurine ?

DOM JUAN, *bas, à Charlotte.* – Elle est jalouse de me voir vous
10 parler, et voudrait bien que je l'épousasse ; mais je lui dis que c'est vous que je veux.

MATHURINE – Quoi ? Charlotte...

DOM JUAN, *bas, à Mathurine.* – Tout ce que vous lui direz sera inutile ; elle s'est mis cela dans la tête.

CHARLOTTE – Quement donc ! Mathurine...

DOM JUAN, *bas, à Charlotte.* – C'est en vain que vous lui parlerez ; vous ne lui ôterez point cette fantaisie[1].

MATHURINE – Est-ce que... ?

DOM JUAN, *bas, à Mathurine.* – Il n'y a pas moyen de lui faire
20 entendre raison.

CHARLOTTE – Je voudrais...

DOM JUAN, *bas, à Charlotte.* – Elle est obstinée comme tous les diables.

MATHURINE – Vramant...

DOM JUAN, *bas, à Mathurine.* – Ne lui dites rien, c'est une folle.

1. Illusion.

CHARLOTTE – Je pense…

DOM JUAN, *bas, à Charlotte.* – Laissez-la là, c'est une extravagante.

MATHURINE – Non, no : il faut que je lui parle.

CHARLOTTE – Je veux voir un peu ses raisons. 30

MATHURINE – Quoi ?….

DOM JUAN, *bas, à Mathurine.* – Je gage qu'elle va vous dire que je lui ai promis de l'épouser.

CHARLOTTE – Je…

DOM JUAN, *bas, à Charlotte.* – Gageons qu'elle vous sou-tiendra que je lui ai donné parole de la prendre pour femme.

MATHURINE – Holà ! Charlotte, ça n'est pas bien de courir sur le marché des autres.

CHARLOTTE – Ça n'est pas honnête, Mathurine, d'être jalouse que Monsieur me parle. 40

MATHURINE – C'est moi que Monsieur a vue la première.

CHARLOTTE – S'il vous a vue la première, il m'a vue la seconde, et m'a promis de m'épouser.

DOM JUAN, *bas, à Mathurine.* – Eh bien ! que vous ai-je dit ?

MATHURINE – Je vous baise les mains[2], c'est moi, et non pas vous, qu'il a promis d'épouser.

2. Expression employée pour prendre congé de quelqu'un avec emportement.

DOM JUAN, *bas, à Charlotte.* – N'ai-je pas deviné ?

CHARLOTTE – À d'autres, je vous prie ; c'est moi, vous dis-je.

MATHURINE – Vous vous moquez des gens ; c'est moi, encore
50 un coup.

CHARLOTTE – Le vlà qui est pour le dire, si je n'ai pas raison.

MATHURINE – Le vlà qui est pour me démentir, si je ne dis pas vrai.

CHARLOTTE – Est-ce, Monsieur, que vous lui avez promis de l'épouser ?

DOM JUAN, *bas, à Charlotte.* – Vous vous raillez de moi.

MATHURINE – Est-il vrai, Monsieur, que vous lui avez donné parole d'être son mari ?

DOM JUAN, *bas, à Mathurine.* – Pouvez-vous avoir cette
60 pensée ?

CHARLOTTE – Vous voyez qu'al le soutient.

DOM JUAN, *bas, à Charlotte.* – Laissez-la faire.

MATHURINE – Vous êtes témoin comme al l'assure.

DOM JUAN, *bas, à Mathurine.* – Laissez-la dire.

CHARLOTTE – Non, non : il faut savoir la vérité.

MATHURINE – Il est question de juger ça.

CHARLOTTE – Oui, Mathurine, je veux que Monsieur vous montre votre bec jaune[1].

MATHURINE – Oui, Charlotte, je veux que Monsieur vous rende un peu camuse[2]. 70

CHARLOTTE – Monsieur, vuidez la querelle, s'il vous plaît.

MATHURINE – Mettez-nous d'accord, Monsieur.

CHARLOTTE, *à Mathurine.* – Vous allez voir.

MATHURINE, *à Charlotte.* – Vous allez voir vous-même.

CHARLOTTE, *à Dom Juan.* – Dites.

MATHURINE, *à Dom Juan.* – Parlez.

DOM JUAN, *embarrassé, leur dit à toutes deux.* – Que voulez-vous que je dise ? Vous soutenez également toutes deux que je vous ai promis de vous prendre pour femmes. Est-ce que chacune de vous ne sait pas ce qui en est, sans qu'il soit 80 nécessaire que je m'explique davantage ? Pourquoi m'obliger là-dessus à des redites ? Celle à qui j'ai promis effectivement n'a-t-elle pas en elle-même de quoi se moquer des discours de l'autre, et doit-elle se mettre en peine, pourvu que j'accomplisse ma promesse ? Tous les discours n'avancent point les choses ; il faut faire et non pas dire, et les effets[3] décident mieux que les paroles. Aussi n'est-ce rien que par là que je vous veux mettre d'accord, et l'on verra, quand je me marierai, laquelle des deux a mon cœur. *(Bas, à Mathurine)* Laissez-lui croire ce qu'elle voudra. *(Bas, à* 90 *Charlotte)* Laissez-la se flatter dans son imagination. *(Bas,*

1. Votre niaiserie (par analogie avec le bec des oisillons).
2. Penaude (comme quelqu'un qui aurait eu le nez « camus », écrasé).
3. Les actes.

*à Mathurine)* Je vous adore. *(Bas, à Charlotte)* Je suis tout à vous. *(Bas, à Mathurine)* Tous les visages sont laids auprès du vôtre. *(Bas, à Charlotte)* On ne peut plus souffrir les autres quand on vous a vue. J'ai un petit ordre à donner ; je viens vous retrouver dans un quart d'heure.

CHARLOTTE, *à Mathurine.* – Je suis celle qu'il aime, au moins.

MATHURINE – C'est moi qu'il épousera.

SGANARELLE – Ah ! pauvres filles que vous êtes, j'ai pitié de
100 votre innocence, et je ne puis souffrir de vous voir courir à votre malheur. Croyez-moi l'une et l'autre : ne vous amusez point[1] à tous les contes qu'on vous fait, et demeurez dans votre village.

DOM JUAN, *revenant.* – Je voudrais bien savoir pourquoi Sganarelle ne me suit pas.

SGANARELLE – Mon maître est un fourbe ; il n'a dessein que de vous abuser, et en a bien abusé d'autres ; c'est l'épouseur du genre humain, et… *(Il aperçoit Dom Juan)* Cela est faux ; et quiconque vous dira cela, vous lui devez dire qu'il en a
110 menti. Mon maître n'est point l'épouseur du genre humain, il n'est point fourbe, il n'a pas dessein de vous tromper, et n'en a point abusé d'autres. Ah ! tenez, le voilà ! demandez-le plutôt à lui-même.

DOM JUAN – Oui.

SGANARELLE – Monsieur, comme le monde est plein de médisants, je vais au-devant des choses ; et je leur disais que, si quelqu'un leur venait dire du mal de vous, elles se

1. Ne vous laissez pas duper.

gardassent bien de le croire, et ne manquassent pas de lui dire qu'il en aurait menti.

DOM JUAN – Sganarelle ! 120

SGANARELLE – Oui, Monsieur est homme d'honneur, je le garantis tel.

DOM JUAN – Hon !

SGANARELLE – Ce sont des impertinents.

## Scène 5

DOM JUAN, LA RAMÉE, CHARLOTTE, MATHURINE, SGANARELLE

LA RAMÉE – Monsieur, je viens vous avertir qu'il ne fait pas bon ici pour vous.

DOM JUAN – Comment ?

LA RAMÉE – Douze hommes à cheval vous cherchent, qui doivent arriver ici dans un moment ; je ne sais pas par quel moyen ils peuvent vous avoir suivi ; mais j'ai appris cette nouvelle d'un paysan qu'ils ont interrogé, et auquel ils vous ont dépeint. L'affaire presse, et le plus tôt que vous pourrez sortir d'ici sera le meilleur.

DOM JUAN, *à Charlotte et Mathurine.* – Une affaire pressante 10 m'oblige de partir d'ici ; mais je vous prie de vous ressouvenir de la parole que je vous ai donnée, et de croire que vous aurez de mes nouvelles avant qu'il soit demain au soir. Comme la partie n'est pas égale, il faut user de stratagème, et éluder[1] adroitement le malheur qui me cherche. Je veux que Sganarelle se revête de mes habits, et moi…

SGANARELLE – Monsieur, vous vous moquez. M'exposer à être tué sous vos habits, et…

DOM JUAN – Allons vite, c'est trop d'honneur que je vous fais, et bien heureux est le valet qui peut avoir la gloire de mourir pour son maître.

SGANARELLE – Je vous remercie d'un tel honneur. Ô Ciel, puisqu'il s'agit de mort, fais-moi la grâce de n'être point pris pour un autre !

1. Éviter.

## Scène 1[2]

DOM JUAN, *en habit de campagne*[3],
SGANARELLE, en médecin.

SGANARELLE. – Ma foi, Monsieur, avouez que j'ai eu raison, et que nous voilà l'un et l'autre déguisés à merveille. Votre premier dessein n'était point du tout à propos, et ceci nous cache bien mieux que tout ce que vous vouliez faire.

DOM JUAN. – Il est vrai que te voilà bien, et je ne sais où tu as été déterrer cet attirail ridicule.

SGANARELLE. – Oui ? C'est l'habit d'un vieux médecin, qui a été laissé en gage au lieu où je l'ai pris, et il m'en a coûté de l'argent pour l'avoir. Mais savez-vous, Monsieur, que cet habit me met déjà en considération, que je suis salué des gens que je rencontre, et que l'on me vient consulter ainsi qu'un habile[4] homme ?

DOM JUAN. – Comment donc ?

SGANARELLE. – Cinq ou six paysans et paysannes, en me voyant passer, me sont venus demander mon avis sur différentes maladies.

DOM JUAN. – Tu leur as répondu que tu n'y entendais rien ?

SGANARELLE. – Moi ? Point du tout. J'ai voulu soutenir l'honneur de mon habit : j'ai raisonné sur le mal, et leur ai fait des ordonnances à chacun.

2. Le décor de l'acte III représente une forêt à l'arrière-plan de laquelle on voit « une manière de temple » entouré de verdure, depuis cette scène 1 jusqu'à la première partie de la scène 5 ; la seconde partie de cette scène se déroule à l'intérieur du « temple » (le tombeau qui abrite le mausolée du Commandeur).
3. Tenue de voyage.
4. Savant.

DOM JUAN. – Et quels remèdes encore leur as-tu ordonnés ?

SGANARELLE. – Ma foi ! Monsieur, j'en ai pris par où j'en
10 ai pu attraper ; j'ai fait mes ordonnances à l'aventure, et ce serait une chose plaisante si les malades guérissaient, et qu'on m'en vînt remercier.

DOM JUAN. – Et pourquoi non ? Par quelle raison n'aurais-tu pas les mêmes privilèges qu'ont tous les autres médecins ?
15 Ils n'ont pas plus de part que toi aux guérisons des malades, et tout leur art est pure grimace[1]. Ils ne font rien que recevoir la gloire des heureux succès, et tu peux profiter comme eux du bonheur du malade, et voir attribuer à tes remèdes tout ce qui peut venir des faveurs du hasard et des forces
20 de la nature.

SGANARELLE. – Comment, Monsieur, vous êtes aussi impie en médecine ?

DOM JUAN. – C'est une des grandes erreurs qui soit parmi les hommes.

25 SGANARELLE. – Quoi ? vous ne croyez pas au séné, ni à la casse, ni au vin émétique[2] ?

DOM JUAN. – Et pourquoi veux-tu que j'y croie ?

SGANARELLE. – Vous avez l'âme bien mécréante. Cependant vous voyez, depuis un temps, que le vin émétique fait bruire
30 ses fuseaux[3]. Ses miracles ont converti les plus incrédules esprits, et il n'y a pas trois semaines que j'en ai vu, moi qui vous parle, un effet merveilleux.

1. Hypocrisie.
2. Le séné et la casse étaient des laxatifs très employés à l'époque, le vin émétique était un traitement vomitif, à l'usage controversé en raison de sa violence mais finalement autorisé en 1666.
3. Fait parler de lui.

DOM JUAN. – Et quel ?

SGANARELLE. – Il y avait un homme qui, depuis six jours, était à l'agonie ; on ne savait plus que lui ordonner, et tous les remèdes ne faisaient rien ; on s'avisa à la fin de lui donner de l'émétique.

DOM JUAN. – Il réchappa, n'est-ce pas ?

SGANARELLE. – Non, il mourut.

DOM JUAN. – L'effet est admirable.

SGANARELLE. – Comment ? il y avait six jours entiers qu'il ne pouvait mourir, et cela le fit mourir tout d'un coup. Voulez-vous rien de plus efficace ?

DOM JUAN. – Tu as raison.

SGANARELLE. – Mais laissons là la médecine, où vous ne croyez point, et parlons des autres choses, car cet habit me donne de l'esprit, et je me sens en humeur de disputer[4] contre vous : vous savez bien que vous me permettez les disputes, et que vous ne me défendez que les remontrances.

DOM JUAN. – Eh bien[5] ?

SGANARELLE. – Je veux savoir un peu vos pensées à fond. Est-il possible que vous ne croyiez point du tout au Ciel ?

DOM JUAN. – Laissons cela.

SGANARELLE. – C'est-à-dire que non. Et à l'Enfer ?

## La satire des médecins

La satire de la médecine est à la fois un thème comique traditionnel, une question d'actualité (notamment en raison des nombreux médecins au service de Louis XIV) et un sujet privilégié par Molière, qui y consacrera trois comédies ultérieures : *L'Amour médecin* (septembre 1665), *Le Médecin malgré lui* (1666) et *Le Malade imaginaire* (1673). Atteint d'une grave maladie pulmonaire, le dramaturge éprouva l'impuissance de la médecine pour son propre cas ou pour celui de ses proches. ■

4. Débattre
5. La discussion qui suit cette réplique jusqu'à « il m'importe bien que vous soyez damné » (l. 126) avait été supprimée dans l'édition censurée de 1682, et remplacée par quelques vagues remontrances de Sganarelle à son maître.

DOM JUAN. – Eh !

SGANARELLE. – Tout de même[1]. Et au diable, s'il vous plaît ?

DOM JUAN. – Oui, oui.

SGANARELLE. – Aussi peu. Ne croyez-vous point l'autre vie ?

DOM JUAN. – Ah ! ah ! ah !

SGANARELLE. – Voilà un homme que j'aurai bien de la peine à convertir. Et dites-moi un peu, le Moine-Bourru[2], qu'en croyez-vous, eh !

DOM JUAN. – La peste soit du fat[3] !

SGANARELLE. – Et voilà ce que je ne puis souffrir, car il n'y a rien de plus vrai que le Moine-Bourru, et je me ferais pendre pour celui-là. Mais encore faut-il croire quelque chose dans le monde[4] : qu'est-ce donc que vous croyez ?

DOM JUAN. – Ce que je crois ?

SGANARELLE. – Oui.

DOM JUAN. – Je crois que deux et deux sont quatre, Sganarelle, et que quatre et quatre sont huit.

SGANARELLE. – La belle croyance et les beaux articles de foi que voici[5] ! Votre religion, à ce que je vois, est donc l'arithmétique ? Il faut avouer qu'il se met d'étranges folies dans la tête des hommes, et que pour avoir bien étudié on est bien moins sage le plus souvent. Pour moi, Monsieur, je n'ai point étudié comme vous. Dieu merci, et personne ne sau-

1. Pareillement.
2. Croyance populaire en un lutin ou un fantôme pendant la période qui précède Noël. Allusion supprimée même dans l'édition non censurée de 1682 (depuis « le Moine-Bourru » jusqu'à « je me ferais pendre pour celui-là. Mais »).
3. Sot, vaniteux.
4. Expression supprimée dans l'édition censurée de 1682, ainsi que la conjonction « donc » dans la proposition suivante.
5. « et les beaux articles de foi que voici » : expression censurée en 1682.

rait se vanter de m'avoir jamais rien appris ; mais avec mon petit sens[6], mon petit jugement, je vois les choses mieux que tous les livres, et je comprends fort bien que ce monde que nous voyons n'est pas un champignon, qui soit venu tout seul en une nuit. Je voudrais bien vous demander qui a fait ces arbres-là, ces rochers, cette terre, et ce ciel que voilà là-haut, et si tout cela s'est bâti de lui-même. Vous voilà vous, par exemple, vous êtes là : est-ce que vous vous êtes fait tout seul, et n'a-t-il pas fallu que votre père ait engrossé votre mère pour vous faire ? Pouvez-vous voir toutes ces inventions dont la machine de l'homme est composée sans admirer de quelle façon cela est agencé l'un dans l'autre : ces nerfs, ces os, ces veines, ces artères, ces… ce poumon, ce cœur, ce foie, et tous ces autres ingrédients qui sont là, et qui… Oh ! dame, interrompez-moi donc si vous voulez : je ne saurais disputer si l'on ne m'interrompt ; vous vous taisez exprès et me laissez parler par belle malice.

DOM JUAN. – J'attends que ton raisonnement soit fini.

SGANARELLE. – Mon raisonnement est qu'il y a quelque chose d'admirable dans l'homme, quoi que vous puissiez dire, que tous les savants ne sauraient expliquer. Cela n'est-il pas merveilleux que me voilà ici, et que j'aie quelque chose dans la tête qui pense cent choses différentes en un moment, et fait de mon corps tout ce qu'elle veut ? Je veux frapper des mains, hausser le bras, lever les yeux au ciel, baisser la tête, remuer les pieds, aller à droit, à gauche, en avant, en arrière, tourner…

*Il se laisse tomber en tournant.*

DOM JUAN. – Bon ! voilà ton raisonnement qui a le nez cassé.

## 2 + 2 = 4

La formule mathématique permet à Dom Juan d'éluder la question de Sganarelle en suggérant qu'il ne croit qu'en des certitudes rationnelles. Cette affirmation, qui fait écho au libertinage philosophique de l'époque, n'est pas inventée par Molière : on l'attribuait en effet au prince Maurice d'Orange-Nassau, qui l'aurait prononcée sur son lit de mort en 1625. ■

6. Mon bon sens.

SGANARELLE. – Morbleu ! je suis bien sot de m'amuser[1] à
120 raisonner avec vous. Croyez ce que vous voudrez : il m'importe bien que vous soyez damné !

DOM JUAN. – Mais tout en raisonnant, je crois que nous sommes égarés. Appelle un peu cet homme que voilà là-bas, pour lui demander le chemin.

SGANARELLE. – Holà, ho, l'homme ! ho, mon compère ! ho, l'ami ! un petit mot s'il vous plaît.

## Le Pauvre

La figure du Pauvre est sacralisée par l'Église qui fait de la charité un devoir essentiel au salut des riches : les pauvres doivent être secourus « pour l'amour de Dieu » parce qu'ils représentent Dieu sur terre. Le nom « Francisque », qui désigne le Pauvre dans la liste des personnages de Dom Juan, suggère son appartenance à l'ordre de saint François d'Assise, voué à la pauvreté mendiante. ■

## Scène 2

DOM JUAN, SGANARELLE, UN PAUVRE

SGANARELLE. – Enseignez-nous un peu le chemin qui mène à la ville.

LE PAUVRE. – Vous n'avez qu'à suivre cette route, Messieurs, et détourner à main droite quand vous serez au bout de la forêt. Mais je vous donne avis que vous devez vous tenir sur vos gardes, et que depuis quelque temps il y a des voleurs ici autour.

DOM JUAN. – Je te suis bien obligé, mon ami, et je te rends grâce de tout mon cœur[2].

10 LE PAUVRE. – Si vous vouliez, Monsieur, me secourir de quelque aumône ?

DOM JUAN. – Ah ! ah ! ton avis est intéressé, à ce que je vois.

1. Perdre mon temps.
2. Le dialogue qui suit cette réplique a été entièrement supprimé dans l'édition censurée de 1682 où ne figurait que la réplique finale de Dom Juan volant au secours d'« un homme attaqué par trois autres ».

LE PAUVRE. – Je suis un pauvre homme, Monsieur, retiré tout seul dans ce bois depuis dix ans, et je ne manquerai pas de prier le Ciel qu'il vous donne toute sorte de biens.

DOM JUAN. – Eh ! prie-le qu'il te donne un habit, sans te mettre en peine des affaires des autres.

SGANARELLE. – Vous ne connaissez pas Monsieur, bonhomme ; il ne croit qu'en deux et deux sont quatre et en quatre et quatre sont huit. 20

DOM JUAN. – Quelle est ton occupation parmi ces arbres ?

LE PAUVRE. – De prier le Ciel tout le jour pour la prospérité des gens de bien[3] qui me donnent quelque chose.

DOM JUAN. – Il ne se peut donc pas que tu ne sois bien à ton aise ?

LE PAUVRE. – Hélas ! Monsieur, je suis dans la plus grande nécessité[4] du monde.

DOM JUAN. – Tu te moques : un homme qui prie le Ciel tout le jour ne peut pas manquer d'être bien dans ses affaires.

LE PAUVRE. – Je vous assure, Monsieur, que le plus souvent 30 je n'ai pas un morceau de pain à me mettre sous les dents.

DOM JUAN. – Voilà qui est étrange, et tu es bien mal reconnu de tes soins. Ah ! ah ! je m'en vais te donner un louis d'or tout à l'heure[5], pourvu que tu veuilles jurer[6].

LE PAUVRE. – Ah ! Monsieur, voudriez-vous que je commisse un tel péché ?

## Une scène censurée

La scène 2 de l'acte III, modifiée dans l'édition dite « non cartonnée » de La Grange en 1682, a été presque entièrement supprimée dans l'édition « cartonnée » ou « censurée » de la même année (voir p. 13). Une grande partie du dialogue aurait même été tronquée dès la deuxième représentation de la pièce, comme si Molière s'était autocensuré. Il faudra attendre l'édition de 1819 pour lire l'intégralité de cette scène, dont la mise à l'écart souligne la portée polémique. ■

3. Personnes louables, honorables.
4. Pauvreté.
5. Tout de suite.
6. Jurer signifie ici blasphémer, jurer contre Dieu. Le passage compris entre cette réplique et les premiers mots de la réplique finale « Va, va » ne se trouve que dans l'édition hollandaise de 1683 ; dans l'édition censurée de 1682, Dom Juan déclarait simplement : « Je te veux donner un louis d'or. »

DOM JUAN. – Tu n'as qu'à voir si tu veux gagner un louis d'or ou non. En voici un que je te donne, si tu jures ; tiens, il faut jurer.

40 LE PAUVRE. – Monsieur !

DOM JUAN. – À moins de cela, tu ne l'auras pas.

SGANARELLE. – Va, va, jure un peu, il n'y a pas de mal.

DOM JUAN. – Prends, le voilà ; prends, te dis-je, mais jure donc.

LE PAUVRE. – Non, Monsieur, j'aime mieux mourir de faim.

DOM JUAN. – Va, va, je te le donne pour l'amour de l'humanité. Mais que vois-je là ? un homme attaqué par trois autres ? La partie est trop inégale, et je ne dois pas souffrir cette lâcheté.

*Il court au lieu du combat.*

## Scène 3

DOM JUAN, DOM CARLOS, SGANARELLE

SGANARELLE. – Mon maître est un vrai enragé d'aller se présenter à un péril qui ne le cherche pas ; mais, ma foi ! le secours a servi, et les deux ont fait fuir les trois.

DOM CARLOS, *l'épée à la main*. – On voit, par la fuite de ces voleurs, de quel secours est votre bras. Souffrez, Monsieur, que je vous rende grâce d'une action si généreuse, et que…

Dom Juan, *revenant l'épée à la main.* – Je n'ai rien fait, Monsieur, que vous n'eussiez fait en ma place. Notre propre honneur est intéressé[1] dans de pareilles aventures, et l'action de ces coquins était si lâche que c'eût été y prendre part que 10 de ne s'y pas opposer. Mais par quelle rencontre[2] vous êtes-vous trouvé entre leurs mains ?

Dom Carlos. – Je m'étais par hasard égaré d'un frère et de tous ceux de notre suite ; et comme je cherchais à les rejoindre, j'ai fait rencontre de ces voleurs, qui d'abord ont tué mon cheval, et qui, sans votre valeur, en auraient fait autant de moi.

Dom Juan. – Votre dessein est-il d'aller du côté de la ville ?

Dom Carlos. – Oui, mais sans y vouloir entrer ; et nous nous voyons obligés, mon frère et moi, à tenir la campagne[3] pour 20 une de ces fâcheuses affaires qui réduisent les gentilshommes à se sacrifier, eux et leur famille, à la sévérité[4] de leur honneur, puisque enfin le plus doux succès[5] en est toujours funeste, et que, si l'on ne quitte pas la vie, on est contraint de quitter le Royaume[6] ; et c'est en quoi je trouve la condition d'un gentilhomme malheureuse, de ne pouvoir point s'assurer sur[7] toute la prudence et toute l'honnêteté de sa conduite, d'être asservi par les lois de l'honneur au dérèglement de la conduite d'autrui, et de voir sa vie, son repos et ses biens dépendre de la fantaisie du premier téméraire qui s'avisera de lui faire une de 30 ces injures[8] pour qui un honnête homme doit périr.

Dom Juan. – On a cet avantage, qu'on fait courir le même risque et passer mal aussi le temps à ceux qui prennent fantaisie de nous venir faire une offense de gaieté de cœur. Mais

## L'« honnête homme »

Au XVII^e siècle, le terme d'« honnête homme » ne désigne pas simplement un homme « honnête » au sens moderne mais renvoie à un idéal moral et social. Il qualifie un homme cultivé, raffiné, sociable, qui cherche à plaire par ses manières courtoises et son sens prudent de la mesure. Par ses excès et ses outrages, Dom Juan est le contraire d'un « honnête homme ». ■

1. En jeu.
2. Par quel hasard.
3. Rester à la campagne, car le duel est interdit en ville.
4. Aux exigences.
5. L'issue la plus heureuse.
6. En raison des lois interdisant le duel.
7. Se reposer sur.
8. Outrages, offenses.

ne serait-ce point une indiscrétion que de vous demander quelle peut être votre affaire ?

DOM CARLOS. – La chose en est aux termes[1] de n'en plus faire de secret, et lorsque l'injure a une fois éclaté, notre honneur ne va point à vouloir cacher notre honte, mais à faire éclater 40 notre vengeance, et à publier[2] même le dessein que nous en avons. Ainsi, Monsieur, je ne feindrai point[3] de vous dire que l'offense que nous cherchons à venger est une sœur séduite et enlevée d'un couvent, et que l'auteur de cette offense est un Dom Juan Tenorio, fils de Dom Louis Tenorio. Nous le cherchons depuis quelques jours, et nous l'avons suivi ce matin sur le rapport d'un valet qui nous a dit qu'il sortait à cheval, accompagné de quatre ou cinq, et qu'il avait pris le long de cette côte ; mais tous nos soins ont été inutiles, et nous n'avons pu découvrir ce qu'il est devenu.

50 DOM JUAN. – Le connaissez-vous, Monsieur, ce Dom Juan dont vous parlez ?

DOM CARLOS. – Non, quant à moi. Je ne l'ai jamais vu, et je l'ai seulement ouï[4] dépeindre à mon frère ; mais la renommée n'en dit pas force[5] bien, et c'est un homme dont la vie…

DOM JUAN. – Arrêtez, Monsieur, s'il vous plaît. Il est un peu de mes amis, et ce serait à moi une espèce de lâcheté que d'en ouïr dire du mal.

DOM CARLOS. – Pour l'amour de vous, Monsieur, je n'en dirai rien du tout, et c'est bien la moindre chose que je vous 60 doive, après m'avoir sauvé la vie, que de me taire devant vous d'une personne que vous connaissez, lorsque je ne

1. Au point de.
2. Rendre public.
3. Je n'hésiterai point.
4. Entendu.
5. Grand.

puis en parler sans en dire du mal ; mais, quelque ami que vous lui soyez, j'ose espérer que vous n'approuverez pas son action, et ne trouverez pas étrange que nous cherchions d'en prendre la vengeance.

DOM JUAN. – Au contraire, je vous y veux servir, et vous épargner des soins inutiles. Je suis ami de Dom Juan, je ne puis pas m'en empêcher ; mais il n'est pas raisonnable qu'il offense impunément des gentilshommes, et je m'engage à vous faire faire raison par lui[6]. 70

DOM CARLOS. – Et quelle raison[7] peut-on faire à ces sortes d'injures ?

DOM JUAN. – Toute celle que votre honneur peut souhaiter ; et, sans vous donner la peine de chercher Dom Juan davantage, je m'oblige à le faire trouver[8] au lieu que vous voudrez, et quand il vous plaira.

DOM CARLOS. – Cet espoir est bien doux, Monsieur, à des cœurs offensés ; mais, après ce que je vous dois, ce me serait une trop sensible douleur que vous fussiez de la partie.

DOM JUAN. – Je suis si attaché à Dom Juan qu'il ne saurait se battre que je ne me batte aussi ; mais enfin j'en réponds comme de moi-même, et vous n'avez qu'à dire quand vous voulez qu'il paraisse et vous donne satisfaction. 80

DOM CARLOS. – Que ma destinée est cruelle ! Faut-il que je vous doive la vie, et que Dom Juan soit de vos amis ?

6. À ce qu'il vous rende justice.
7. Réparation.
8. À le faire venir.

## Scène 4

DOM ALONSE, *et trois Suivants,*
DOM CARLOS, DOM JUAN, SGANARELLE

DOM ALONSE. – Faites boire là mes chevaux, et qu'on les amène après nous ; je veux un peu marcher à pied. Ô Ciel ! que vois-je ici ! Quoi ? mon frère, vous voilà avec notre ennemi mortel ?

DOM CARLOS. – Notre ennemi mortel ?

DOM JUAN, *se reculant de trois pas et mettant fièrement la main sur la garde de son épée.* – Oui, je suis Dom Juan moi-même, et l'avantage du nombre ne m'obligera pas à vouloir déguiser mon nom.

10 DOM ALONSE. – Ah ! traître, il faut que tu périsses, et…

DOM CARLOS. – Ah ! mon frère, arrêtez. Je lui suis redevable de la vie ; et sans le secours de son bras, j'aurais été tué par des voleurs que j'ai trouvés.

DOM ALONSE. – Et voulez-vous que cette considération empêche notre vengeance ? Tous les services que nous rend une main ennemie ne sont d'aucun mérite pour engager notre âme ; et s'il faut mesurer l'obligation[1] à l'injure, votre reconnaissance, mon frère, est ici ridicule ; et comme l'honneur est infiniment plus précieux que la vie, c'est ne devoir
20 rien proprement que d'être redevable de la vie à qui nous a ôté l'honneur.

1. La reconnaissance de la dette.

Dom Carlos. – Je sais la différence, mon frère, qu'un gentilhomme doit toujours mettre entre l'un et l'autre, et la reconnaissance de l'obligation n'efface point en moi le ressentiment de l'injure ; mais souffrez que je lui rende ici ce qu'il m'a prêté, que je m'acquitte sur-le-champ de la vie que je lui dois, par un délai de notre vengeance, et lui laisse la liberté de jouir, durant quelques jours, du fruit de son bienfait.

Dom Alonse. – Non, non, c'est hasarder notre vengeance[2] que de la reculer et l'occasion de la prendre peut ne plus revenir. Le Ciel nous l'offre ici, c'est à nous d'en profiter. Lorsque l'honneur est blessé mortellement, on ne doit point songer à garder aucunes mesures ; et si vous répugnez à prêter votre bras à cette action, vous n'avez qu'à vous retirer et laisser à ma main la gloire d'un tel sacrifice.

30

Dom Carlos. – De grâce, mon frère…

Dom Alonse. – Tous ces discours sont superflus : il faut qu'il meure.

Dom Carlos. – Arrêtez-vous, dis-je, mon frère. Je ne souffrirai point du tout qu'on attaque ses jours, et je jure le Ciel que je le défendrai ici contre qui que ce soit, et je saurai lui faire un rempart de cette même vie qu'il a sauvée ; et pour adresser vos coups, il faudra que vous me perciez.

40

Dom Alonse. – Quoi ? vous prenez le parti de notre ennemi contre moi ; et loin d'être saisi à son aspect des mêmes transports[3] que je sens, vous faites voir pour lui des sentiments pleins de douceur ?

## Le code de l'honneur

Le conflit entre les deux frères d'Elvire illustre les contradictions du code de l'honneur, vertu de l'aristocratie. Le dilemme consiste ici à savoir s'il faut ou non se venger d'un homme qui a déshonoré la famille mais sauvé la vie à l'un de ses membres. Quant à la question du duel, toujours d'actualité en 1665, elle renvoie au conflit entre le code aristocratique et la loi étatique, puisque le duel était une pratique illégale depuis son interdiction par Richelieu en 1626. ■

2. Rendre notre vengeance incertaine.
3. Vives manifestations d'un sentiment, ici la colère.

Dom Carlos. – Mon frère, montrons de la modération dans
50 une action légitime, et ne vengeons point notre honneur avec cet emportement que vous témoignez. Ayons du cœur[1] dont nous soyons les maîtres, une valeur qui n'ait rien de farouche, et qui se porte aux choses par une pure délibération de notre raison, et non point par le mouvement d'une aveugle colère. Je ne veux point, mon frère, demeurer redevable à mon ennemi, et je lui ai une obligation dont il faut que je m'acquitte avant toute chose. Notre vengeance, pour être différée, n'en sera pas moins éclatante : au contraire, elle en tirera de l'avantage ; et cette occasion de l'avoir pu
60 prendre la fera paraître plus juste aux yeux de tout le monde.

Dom Alonse. – Ô l'étrange faiblesse, et l'aveuglement effroyable d'hasarder ainsi les intérêts de son honneur pour la ridicule pensée d'une obligation chimérique !

Dom Carlos. – Non, mon frère, ne vous mettez pas en peine. Si je fais une faute, je saurai bien la réparer, et je me charge de tout le soin de notre honneur ; je sais à quoi il nous oblige, et cette suspension d'un jour, que ma reconnaissance lui demande, ne fera qu'augmenter l'ardeur que j'ai de le satisfaire. Dom Juan, vous voyez que j'ai soin de vous rendre le
70 bien que j'ai reçu de vous, et vous devez par-là juger du reste, croire que je m'acquitte avec même chaleur de ce que je dois, et que je ne serai pas moins exact à vous payer l'injure que le bienfait. Je ne veux point vous obliger ici à expliquer vos sentiments, et je vous donne la liberté de penser à loisir aux résolutions que vous avez à prendre. Vous connaissez assez la grandeur de l'offense que vous nous avez faite, et je vous fais juge vous-même des réparations qu'elle demande. Il est des

1. Courage.

moyens doux pour nous satisfaire ; il en est de violents et de sanglants ; mais enfin, quelque choix que vous fassiez, vous m'avez donné parole de me faire faire raison[2] par Dom Juan : 80
songez à me la faire, je vous prie, et vous ressouvenez que, hors d'ici, je ne dois plus qu'à mon honneur.

DOM JUAN. – Je n'ai rien exigé de vous, et vous tiendrai ce que j'ai promis.

DOM CARLOS. – Allons, mon frère : un moment de douceur ne fait aucune injure à la sévérité de notre devoir.

## Scène 5

DOM JUAN, SGANARELLE

DOM JUAN. – Holà, hé, Sganarelle !

SGANARELLE. – Plaît-il ?

DOM JUAN. – Comment ? coquin, tu fuis quand on m'attaque ?

SGANARELLE. – Pardonnez-moi, Monsieur ; je viens seulement d'ici près. Je crois que cet habit est purgatif, et que c'est prendre médecine[3] que de le porter.

DOM JUAN. – Peste soit l'insolent ! Couvre au moins ta poltronnerie d'un voile plus honnête. Sais-tu bien qui est celui à qui j'ai sauvé la vie ? 10

2. De me faire rendre justice.
3. Prendre un médicament.

SGANARELLE. – Moi ? Non.

DOM JUAN. – C'est un frère d'Elvire.

SGANARELLE. – Un…

DOM JUAN. – Il est assez honnête homme[1], il en a bien usé[2], et j'ai regret d'avoir démêlé avec lui.

SGANARELLE. – Il vous serait aisé de pacifier toutes choses.

DOM JUAN. – Oui ; mais ma passion est usée pour Done Elvire, et l'engagement ne compatit point[3] avec mon humeur. J'aime la liberté en amour, tu le sais, et je ne saurais me résoudre à renfermer mon cœur entre quatre murailles. Je te l'ai dit vingt fois, j'ai une pente naturelle à me laisser aller à tout ce qui m'attire. Mon cœur est à toutes les belles, et c'est à elles à le prendre tour à tour et à le garder tant qu'elles le pourront. Mais quel est le superbe édifice que je vois entre ces arbres ?

SGANARELLE. – Vous ne le savez pas ?

DOM JUAN. – Non, vraiment.

SGANARELLE. – Bon ! c'est le tombeau que le Commandeur[4] faisait faire lorsque vous le tuâtes.

DOM JUAN. – Ah ! tu as raison. Je ne savais pas que c'était de ce côté-ci qu'il était. Tout le monde m'a dit des merveilles de cet ouvrage, aussi bien que de la statue du Commandeur, et j'ai envie de l'aller voir.

SGANARELLE. – Monsieur, n'allez point là.

1. Voir p. 68.
2. Il s'est bien conduit.
3. N'est pas compatible.
4. Haut dignitaire dans un ordre militaire.

DOM JUAN. – Pourquoi ?

SGANARELLE. – Cela n'est pas civil[5], d'aller voir un homme que vous avez tué.

DOM JUAN. – Au contraire, c'est une visite dont je lui veux faire civilité, et qu'il doit recevoir de bonne grâce, s'il est galant homme. Allons, entrons dedans. 40

*Le tombeau s'ouvre, où l'on voit un superbe mausolée et la statue du Commandeur.*

SGANARELLE. – Ah ! que cela est beau ! Les belles statues ! le beau marbre ! les beaux piliers ! Ah ! que cela est beau ! Qu'en dites-vous, Monsieur ?

DOM JUAN. – Qu'on ne peut voir aller plus loin l'ambition d'un homme mort ; et ce que je trouve admirable, c'est qu'un homme qui s'est passé[6], durant sa vie, d'une assez simple demeure en veuille avoir une si magnifique pour quand il n'en a plus que faire. 50

SGANARELLE. – Voici la statue du Commandeur.

DOM JUAN. – Parbleu ! le voilà bon[7], avec son habit d'empereur romain !

SGANARELLE. – Ma foi, Monsieur, voilà qui est bien fait. Il semble qu'il est en vie, et qu'il s'en va parler. Il jette des regards sur nous qui me feraient peur, si j'étais tout seul, et je pense qu'il ne prend pas plaisir de nous voir.

5. Courtois.
6. Qui s'est contenté.
7. Beau.

DOM JUAN. – Il aurait tort, et ce serait mal recevoir l'honneur que je lui fais. Demande-lui s'il veut venir souper[1] avec moi.

60 SGANARELLE. – C'est une chose dont il n'a pas besoin, je crois.

DOM JUAN. – Demande-lui, te dis-je.

SGANARELLE. – Vous moquez-vous ? Ce serait être fou que d'aller parler à une statue.

DOM JUAN. – Fais ce que je te dis.

SGANARELLE. – Quelle bizarrerie ! Seigneur Commandeur... je ris de ma sottise, mais c'est mon maître qui me la fait faire. Seigneur Commandeur, mon maître Dom Juan vous demande si vous voulez lui faire l'honneur de venir souper avec lui. (La Statue baisse la tête.) Ha !

70 DOM JUAN. – Qu'est-ce ? qu'as-tu ? Dis donc, veux-tu parler ?

SGANARELLE, *fait le même signe que lui a fait la Statue et baisse la tête.* – La Statue...

DOM JUAN. – Eh bien ! que veux-tu dire, traître ?

SGANARELLE. – Je vous dis que la Statue...

DOM JUAN. – Eh bien ! la Statue ? je t'assomme, si tu ne parles.

SGANARELLE. – La Statue m'a fait signe.

DOM JUAN. – La peste le coquin !

1. Terme ancien signifiant « dîner ».

SGANARELLE. – Elle m'a fait signe, vous dis-je ; il n'est rien de plus vrai. Allez-vous-en lui parler vous-même pour voir. Peut-être… 80

DOM JUAN. – Viens, maraud, viens, je te veux bien faire toucher au doigt ta poltronnerie. Prends garde. Le Seigneur Commandeur voudrait-il venir souper avec moi ?

*La Statue baisse encore la tête.*

SGANARELLE. – Je ne voudrais pas en tenir[2] dix pistoles. Eh bien ! Monsieur ?

DOM JUAN. – Allons, sortons d'ici.

SGANARELLE. – Voilà de mes esprits forts[3], qui ne veulent rien croire. 90

2. Parier.
3. Les libres-penseurs, les « esprits forts » qui ne respectent pas les préceptes religieux (voir p. 23).

*Dom Juan* (Daniel Mesguich)
et *Sganarelle* (Christian Hecq),
mise en scène de Daniel Mesguich,
Théâtre de l'Athénée-Louis Jouvet,
2003.

Analyse d'images ▶ p. 149

*Dom Juan*

Michel Piccoli (*Dom Juan*)
dans l'adaptation télévisée
de la pièce par Marcel Bluwal, 1965

*Dom Juan*

Mise en scène de *Dom Juan* par Daniel Mesguich, Théâtre de l'Athénée-Louis Jouvet, 2003

*Don Giovanni*

Ruggero Raimondi (*Don Giovanni)*
dans le film *Don Giovanni* de Joseph Losey, 1979

*La Chute des damnés*

Détail du tableau de Dirk Bouts (*huile sur bois*), vers 1470

## Scène 1[1]

DOM JUAN, SGANARELLE

DOM JUAN. – Quoi qu'il en soit, laissons cela ; c'est une bagatelle, et nous pouvons avoir été trompés par un faux jour, ou surpris de quelque vapeur qui nous ait troublé la vue.

SGANARELLE. – Eh ! Monsieur, ne cherchez point à démentir ce que nous avons vu des yeux que voilà. Il n'est rien de plus véritable que ce signe de tête ; et je ne doute point que le Ciel, scandalisé de votre vie, n'ait produit ce miracle pour vous convaincre, et pour vous retirer de…

DOM JUAN. – Écoute. Si tu m'importunes davantage de tes sottes moralités[2], si tu me dis encore le moindre mot là-dessus, je vais appeler quelqu'un, demander un nerf de bœuf, te faire tenir par trois ou quatre, et te rouer de mille coups. M'entends-tu bien ? 10

SGANARELLE. – Fort bien, Monsieur, le mieux du monde. Vous vous expliquez clairement ; c'est ce qu'il y a de bon en vous, que vous n'allez point chercher de détours : vous dites les choses avec une netteté admirable.

DOM JUAN. – Allons, qu'on me fasse souper le plus tôt que l'on pourra. Une chaise, petit garçon[3].

1. Le décor de l'acte IV représente « une chambre », c'est-à-dire une pièce de la demeure de Dom Juan.
2. Leçons de morale.
3. Dom Juan s'adresse ici à son jeune domestique.

## Scène 2

DOM JUAN, LA VIOLETTE, SGANARELLE

LA VIOLETTE. – Monsieur, voilà votre marchand[1], M. Dimanche, qui demande à vous parler.

SGANARELLE. – Bon, voilà ce qu'il nous faut, qu'un compliment de créancier. De quoi s'avise-t-il de nous venir demander de l'argent, et que ne lui disais-tu que Monsieur n'y est pas ?

LA VIOLETTE. – Il y a trois quarts d'heure que je lui dis ; mais il ne veut pas le croire, et s'est assis là-dedans pour attendre.

SGANARELLE. – Qu'il attende, tant qu'il voudra.

DOM JUAN. – Non, au contraire, faites-le entrer. C'est une
10 fort mauvaise politique que de se faire celer[2] aux créanciers. Il est bon de les payer de quelque chose, et j'ai le secret de les renvoyer satisfaits sans leur donner un double[3].

## Scène 3

DOM JUAN, M. DIMANCHE, SGANARELLE, SUITE

DOM JUAN, *faisant de grandes civilités.* – Ah ! Monsieur Dimanche, approchez. Que je suis ravi de vous voir, et que je veux de mal à mes gens de ne vous pas faire entrer d'abord ! J'avais donné ordre qu'on ne me fît parler per-

1. Terme désignant un fournisseur en général ou en particulier un drapier vendant des tissus pour faire des vêtements.
2. Faire croire qu'on est absent.
3. Petite pièce de monnaie (valant deux deniers).

sonne[4] ; mais cet ordre n'est pas pour vous, et vous êtes en droit de ne trouver jamais de porte fermée chez moi.

M. DIMANCHE. – Monsieur, je vous suis fort obligé.

DOM JUAN, *parlant à ses laquais.* – Parbleu ! coquins, je vous apprendrai à laisser M. Dimanche dans une antichambre, et je vous ferai connaître les gens. 10

M. DIMANCHE. – Monsieur, cela n'est rien.

DOM JUAN. – Comment ! vous dire que je n'y suis pas, à M. Dimanche, au meilleur de mes amis !

M. DIMANCHE. – Monsieur, je suis votre serviteur. J'étais venu…

DOM JUAN. – Allons vite, un siège pour M. Dimanche.

M. DIMANCHE. – Monsieur, je suis bien comme cela.

DOM JUAN. – Point, point, je veux que vous soyez assis contre moi.

M. DIMANCHE. – Cela n'est point nécessaire. 20

DOM JUAN. – Ôtez ce pliant, et apportez un fauteuil[5].

M. DIMANCHE. – Monsieur, vous vous moquez, et…

DOM JUAN. – Non, non, je sais ce que je vous dois, et je ne veux point qu'on mette de différence entre nous deux.

M. DIMANCHE. – Monsieur…

4. Qu'on ne fasse entrer personne.
5. L'offre des sièges reflétait alors la hiérarchie sociale, que Dom Juan se plaît ici à inverser (le fauteuil était réservé à la noblesse tandis qu'un siège « pliant » allait aux visiteurs les plus humbles).

DOM JUAN. – Allons, asseyez-vous.

M. DIMANCHE. – Il n'est pas besoin, Monsieur, et je n'ai qu'un mot à vous dire. J'étais…

DOM JUAN. – Mettez-vous là, vous dis-je.

30 M. DIMANCHE. – Non, Monsieur, je suis bien. Je viens pour…

DOM JUAN. – Non, je ne vous écoute point si vous n'êtes assis.

M. DIMANCHE. – Monsieur, je fais ce que vous voulez. Je…

DOM JUAN. – Parbleu ! Monsieur Dimanche, vous vous portez bien.

M. DIMANCHE. – Oui, Monsieur, pour vous rendre service. Je suis venu…

DOM JUAN. – Vous avez un fonds de santé[1] admirable, des lèvres fraîches, un teint vermeil, et des yeux vifs.

M. DIMANCHE. – Je voudrais bien…

40 DOM JUAN. – Comment se porte Madame Dimanche, votre épouse ?

M. DIMANCHE. – Fort bien, Monsieur, Dieu merci.

DOM JUAN. – C'est une brave femme.

M. DIMANCHE. – Elle est votre servante, Monsieur. Je venais…

DOM JUAN. – Et votre petite fille Claudine, comment se porte-t-elle ?

« Cette scène, je ne l'avais jamais trouvée drôle. J'ai essayé de comprendre pourquoi… »

Daniel Mesguich
*metteur en scène*

1. Vous semblez en parfaite santé.

M. DIMANCHE. – Le mieux du monde.

DOM JUAN. – La jolie petite fille que c'est ! je l'aime de tout mon cœur.

M. DIMANCHE. – C'est trop d'honneur que vous lui faites, Monsieur. Je vous… 50

DOM JUAN. – Et le petit Colin, fait-il toujours bien du bruit avec son tambour ?

M. DIMANCHE. – Toujours de même, Monsieur. Je…

DOM JUAN. – Et votre petit chien Brusquet ? gronde-t-il toujours aussi fort, et mord-il toujours bien aux jambes les gens qui vont chez vous ?

M. DIMANCHE. – Plus que jamais, Monsieur, et nous ne saurions en chevir[2].

DOM JUAN. – Ne vous étonnez pas si je m'informe des nouvelles de toute la famille, car j'y prends beaucoup d'intérêt. 60

M. DIMANCHE. – Nous vous sommes, Monsieur, infiniment obligés. Je…

DOM JUAN, *lui tendant la main.* – Touchez donc là[3], Monsieur Dimanche. Êtes-vous bien de mes amis ?

M. DIMANCHE. – Monsieur, je suis votre serviteur.

DOM JUAN. – Parbleu ! je suis à vous de tout mon cœur.

M. DIMANCHE. – Vous m'honorez trop. Je…

2. Être maître de quelqu'un ou de quelque chose.
3. Topez là : taper la main en signe d'acceptation d'un marché ou d'un défi (voir p. 40).

DOM JUAN. – Il n'y a rien que je ne fisse pour vous.

70 M. DIMANCHE. – Monsieur, vous avez trop de bonté pour moi.

DOM JUAN. – Et cela sans intérêt, je vous prie de le croire.

M. DIMANCHE. – Je n'ai point mérité cette grâce assurément. Mais, Monsieur…

DOM JUAN. – Oh ! çà, Monsieur Dimanche, sans façon, voulez-vous souper avec moi ?

M. DIMANCHE. – Non, Monsieur, il faut que je m'en retourne tout à l'heure[1]. Je…

DOM JUAN, *se levant.* – Allons, vite un flambeau pour 80 conduire M. Dimanche et que quatre ou cinq de mes gens prennent des mousquetons[2] pour l'escorter.

M. DIMANCHE, *se levant de même.* – Monsieur, il n'est pas nécessaire, et je m'en irai bien tout seul. Mais…

*Sganarelle ôte les sièges promptement.*

DOM JUAN. – Comment ? Je veux qu'on vous escorte, et je m'intéresse trop à votre personne. Je suis votre serviteur, et de plus votre débiteur.

M. DIMANCHE. – Ah ! Monsieur…

DOM JUAN. – C'est une chose que je ne cache pas, et je le dis 90 à tout le monde.

1. Tout de suite.
2. Armes à feu.

M. DIMANCHE. – Si…

DOM JUAN. – Voulez-vous que je vous reconduise ?

M. DIMANCHE. – Ah ! Monsieur, vous vous moquez, Monsieur…

DOM JUAN. – Embrassez-moi[3] donc, s'il vous plaît. Je vous prie encore une fois d'être persuadé que je suis tout à vous, et qu'il n'y a rien au monde que je ne fisse pour votre service. *(Il sort.)*

SGANARELLE. – Il faut avouer que vous avez en Monsieur un homme qui vous aime bien. 100

M. DIMANCHE. – Il est vrai ; il me fait tant de civilités et tant de compliments que je ne saurais jamais lui demander de l'argent.

SGANARELLE. – Je vous assure que toute sa maison[4] périrait pour vous ; et je voudrais qu'il vous arrivât quelque chose, que quelqu'un s'avisât de vous donner des coups de bâton ; vous verriez de quelle manière…

M. DIMANCHE. – Je le crois ; mais, Sganarelle, je vous prie de lui dire un petit mot de mon argent.

SGANARELLE. – Oh ! ne vous mettez pas en peine, il vous payera le mieux du monde. 110

M. DIMANCHE. – Mais vous, Sganarelle, vous me devez quelque chose en votre particulier[5].

3. Il s'agit de serrer dans les bras, de donner l'accolade (ce qui ne se faisait qu'entre personnes de même condition sociale).
4. L'ensemble des domestiques.
5. De votre côté.

SGANARELLE. – Fi ! ne parlez pas de cela.

M. DIMANCHE. – Comment ? Je…

SGANARELLE. – Ne sais-je pas bien que je vous dois ?

M. DIMANCHE. – Oui, mais…

SGANARELLE. – Allons, Monsieur Dimanche, je vais vous éclairer.

120 M. DIMANCHE. – Mais mon argent…

SGANARELLE, *prenant M. Dimanche par le bras.* – Vous moquez-vous ?

M. DIMANCHE. – Je veux…

SGANARELLE, *le tirant.* – Eh !

M. DIMANCHE. – J'entends…

SGANARELLE, *le poussant.* – Bagatelles.

M. DIMANCHE. – Mais…

SGANARELLE, *le poussant.* – Fi !

M. DIMANCHE. – Je…

130 SGANARELLE, *le poussant tout à fait hors du théâtre.* – Fi ! vous dis-je.

## Scène 4

DOM LOUIS, DOM JUAN,
LA VIOLETTE, SGANARELLE

LA VIOLETTE. – Monsieur, voilà Monsieur votre père.

DOM JUAN. – Ah ! me voici bien : il me fallait cette visite pour me faire enrager.

DOM LOUIS. – Je vois bien que je vous embarrasse et que vous vous passeriez fort aisément de ma venue. À dire vrai, nous nous incommodons étrangement[1] l'un et l'autre ; et si vous êtes las de me voir, je suis bien las aussi de vos déportements[2]. Hélas ! que nous savons peu ce que nous faisons quand nous ne laissons pas au Ciel le soin des choses qu'il nous faut, quand nous voulons être plus avisés que lui, et (10) que nous venons à l'importuner par nos souhaits aveugles et nos demandes inconsidérées ! J'ai souhaité un fils avec des ardeurs nonpareilles ; je l'ai demandé sans relâche avec des transports[3] incroyables ; et ce fils, que j'obtiens en fatiguant le Ciel de vœux, est le chagrin et le supplice de cette vie même dont je croyais qu'il devait être la joie et la consolation. De quel œil, à votre avis, pensez-vous que je puisse voir cet amas d'actions indignes, dont on a peine, aux yeux du monde, d'adoucir le mauvais visage, cette suite continuelle de méchantes[4] affaires, qui nous réduisent, à toutes heures, à (20) lasser les bontés du Souverain, et qui ont épuisé auprès de lui le mérite de mes services et le crédit de mes amis ? Ah ! quelle bassesse est la vôtre ! Ne rougissez-vous point de mériter si peu votre naissance ? Êtes-vous en droit, dites-moi, d'en tirer

### La figure du père

Dans les tragi-comédies et les tragédies du XVIIe siècle, en particulier celles de Corneille, les personnages de pères nobles étaient vénérés, alors que les comédies tournaient souvent en dérision des personnages de pères bourgeois, égoïstes ou ingrats. Ici, Dom Louis s'exprime en noble père tragique mais son fils le traite comme un père de comédie en le priant de s'asseoir. ■

1. Extrêmement.
2. Comportements.
3. Vives manifestations d'un sentiment.
4. Mauvaises.

quelque vanité ? Et qu'avez-vous fait dans le monde pour être gentilhomme ? Croyez-vous qu'il suffise d'en porter le nom et les armes[1], et que ce nous soit une gloire d'être sorti d'un sang noble lorsque nous vivons en infâmes ? Non, non, la naissance n'est rien où la vertu n'est pas. Aussi nous n'avons part
30 à la gloire de nos ancêtres qu'autant que nous nous efforçons de leur ressembler ; et cet éclat de leurs actions qu'ils répandent sur nous nous impose un engagement de leur faire le même honneur, de suivre les pas qu'ils nous tracent, et de ne point dégénérer de leurs vertus, si nous voulons être estimés leurs véritables descendants. Ainsi vous descendez en vain des aïeux dont vous êtes né : ils vous désavouent pour leur sang[2], et tout ce qu'ils ont fait d'illustre ne vous donne aucun avantage ; au contraire, l'éclat n'en rejaillit sur vous qu'à votre déshonneur, et leur gloire est un flambeau qui éclaire aux yeux
40 d'un chacun la honte de vos actions. Apprenez enfin qu'un gentilhomme qui vit mal est un monstre dans la nature, que la vertu est le premier titre de noblesse, que je regarde bien moins au nom qu'on signe qu'aux actions qu'on fait, et que je ferais plus d'état du fils d'un crocheteur[3] qui serait honnête homme que du fils d'un monarque qui vivrait comme vous.

DOM JUAN. – Monsieur, si vous étiez assis, vous en seriez mieux pour parler.

DOM LOUIS. – Non, insolent, je ne veux point m'asseoir, ni parler davantage, et je vois bien que toutes mes paroles ne
50 font rien sur ton âme. Mais sache, fils indigne, que la tendresse paternelle est poussée à bout par tes actions, que je saurai, plus tôt que tu ne penses, mettre une borne à tes dérèglements, prévenir sur toi[4] le courroux du Ciel, et laver par ta punition la honte de t'avoir fait naître. *(Il sort.)*

1. Emblèmes d'une famille noble.
2. Ils vous renient.
3. Porteur (le « crocheteur » portait des fardeaux à l'aide d'un crochet).
4. Devancer.

## Scène 5

DOM JUAN, SGANARELLE

DOM JUAN. – Eh ! mourez le plus tôt que vous pourrez, c'est le mieux que vous puissiez faire. Il faut que chacun ait son tour, et j'enrage de voir des pères qui vivent autant que leurs fils. *(Il se met dans son fauteuil.)*

SGANARELLE. – Ah ! Monsieur, vous avez tort.

DOM JUAN. – J'ai tort ?

SGANARELLE. – Monsieur…

DOM JUAN. *se lève de son siège.* – J'ai tort ?

SGANARELLE. – Oui, Monsieur, vous avez tort d'avoir souffert ce qu'il vous a dit, et vous le deviez mettre dehors par les épaules. A-t-on jamais rien vu de plus impertinent ? Un père venir faire des remontrances à son fils, et lui dire de corriger ses actions, de se ressouvenir de sa naissance, de mener une vie d'honnête homme, et cent autres sottises de pareille nature ! Cela se peut-il souffrir à[5] un homme comme vous, qui savez comme il faut vivre ? J'admire votre patience, et si j'avais été en votre place, je l'aurais envoyé promener. *(À part.)* Ô complaisance maudite ! à quoi me réduis-tu ?

DOM JUAN. – Me fera-t-on souper bientôt ?

10

20

5. Être toléré par.

## Scène 6

DOM JUAN, DONE ELVIRE, RAGOTIN, SGANARELLE

RAGOTIN. – Monsieur, voici une dame voilée qui vient vous parler.

DOM JUAN. – Que pourrait-ce être ?

SGANARELLE. – Il faut voir.

DONE ELVIRE. – Ne soyez point surpris, Dom Juan, de me voir à cette heure et dans cet équipage[1]. C'est un motif pressant qui m'oblige à cette visite, et ce que j'ai à vous dire ne veut point du tout de retardement. Je ne viens point ici pleine de ce courroux que j'ai tantôt[2] fait éclater, et vous me voyez bien
10 changée de ce que j'étais ce matin. Ce n'est plus cette Done Elvire qui faisait des vœux contre vous, et dont l'âme irritée ne jetait que menaces et ne respirait que vengeance. Le Ciel a banni de mon âme toutes ces indignes ardeurs que je sentais pour vous, tous ces transports tumultueux d'un attachement criminel, tous ces honteux emportements d'un amour terrestre et grossier ; et il n'a laissé dans mon cœur pour vous qu'une flamme épurée de tout le commerce des sens[3], une tendresse toute sainte, un amour détaché de tout, qui n'agit point pour soi, et ne se met en peine que de votre intérêt.

20 DOM JUAN, *à Sganarelle*. – Tu pleures, je pense.

SGANARELLE. – Pardonnez-moi.

DONE ELVIRE. – C'est ce parfait et pur amour qui me conduit ici pour votre bien, pour vous faire part d'un avis du Ciel,

1. Tenue.
2. Tout à l'heure.
3. Relation sensuelle.

et tâcher de vous retirer du précipice où vous courez. Oui, Dom Juan, je sais tous les dérèglements de votre vie, et ce même Ciel, qui m'a touché le cœur et fait jeter les yeux sur les égarements de ma conduite, m'a inspiré de vous venir trouver, et de vous dire, de sa part, que vos offenses ont épuisé sa miséricorde, que sa colère redoutable est prête de tomber sur vous, qu'il est en vous[4] de l'éviter par un prompt repentir, et que peut-être vous n'avez pas encore un jour à vous pouvoir soustraire au plus grand de tous les malheurs. Pour moi, je ne tiens plus à vous par aucun attachement du monde ; je suis revenue, grâces au Ciel, de toutes mes folles pensées ; ma retraite[5] est résolue, et je ne demande qu'assez de vie pour pouvoir expier la faute que j'ai faite, et mériter, par une austère pénitence, le pardon de l'aveuglement où m'ont plongée les transports d'une passion condamnable. Mais, dans cette retraite, j'aurais une douleur extrême qu'une personne que j'ai chérie tendrement devînt un exemple funeste de la justice du Ciel ; et ce me sera une joie incroyable si je puis vous porter à détourner de dessus votre tête l'épouvantable coup qui vous menace. De grâce, Dom Juan, accordez-moi, pour dernière faveur, cette douce consolation ; ne me refusez point votre salut, que je vous demande avec larmes ; et si vous n'êtes point touché de votre intérêt, soyez-le au moins de mes prières, et m'épargnez le cruel déplaisir de vous voir condamner à des supplices éternels.

« Dom Juan plonge les femmes dans le marbre de l'oubli. »

Daniel Mesguich
*metteur en scène*

SGANARELLE. – Pauvre femme !

DONE ELVIRE. – Je vous ai aimé avec une tendresse extrême, rien au monde ne m'a été si cher que vous ; j'ai oublié

4. Qu'il ne tient qu'à vous.
5. Entrée au couvent.

mon devoir pour vous, j'ai fait toutes choses pour vous ; et toute la récompense que je vous en demande, c'est de corriger votre vie, et de prévenir[1] votre perte. Sauvez-vous, je vous prie, ou pour l'amour de vous, ou pour l'amour de moi. Encore une fois, Dom Juan, je vous le demande avec larmes ; et si ce n'est assez des larmes d'une personne que vous avez aimée, je vous en conjure par tout ce qui est le
60 plus capable de vous toucher.

SGANARELLE. – Cœur de tigre !

DONE ELVIRE. – Je m'en vais, après ce discours, et voilà tout ce que j'avais à vous dire.

DOM JUAN. – Madame, il est tard, demeurez ici : on vous y logera le mieux qu'on pourra.

DONE ELVIRE. – Non, Dom Juan, ne me retenez pas davantage.

DOM JUAN. – Madame, vous me ferez plaisir de demeurer, je vous assure.

70 DONE ELVIRE. – Non, vous dis-je, ne perdons point de temps en discours superflus. Laissez-moi vite aller, ne faites aucune instance[2] pour me conduire, et songez seulement à profiter de mon avis.

1. Empêcher.
2. Ne vous occupez pas de me faire reconduire.

## Scène 7

### DOM JUAN, SGANARELLE, SUITE

DOM JUAN. – Sais-tu bien que j'ai encore senti quelque peu d'émotion pour elle, que j'ai trouvé de l'agrément dans cette nouveauté bizarre, et que son habit négligé, son air languissant et ses larmes ont réveillé en moi quelques petits restes d'un feu éteint ?

SGANARELLE. – C'est-à-dire que ses paroles n'ont fait aucun effet sur vous.

DOM JUAN. – Vite à souper.

SGANARELLE. – Fort bien.

DOM JUAN, *se mettant à table.* – Sganarelle, il faut songer à s'amender[3] pourtant. 10

SGANARELLE. – Oui dea[4] !

DOM JUAN. – Oui, ma foi ! il faut s'amender ; encore vingt ou trente ans de cette vie-ci, et puis nous songerons à nous.

SGANARELLE. – Oh !

DOM JUAN. – Qu'en dis-tu ?

SGANARELLE. – Rien. Voilà le souper.

*Il prend un morceau d'un des plats qu'on apporte et le met dans sa bouche.*

3. Se corriger.
4. Oui-da. Forme appuyée pour exprimer l'approbation.

## Les lazzi du valet

La bouffonnerie gloutonne de Sganarelle illustre l'héritage de la *commedia dell'arte*, d'où provient ce type de valet. Ce moment de farce correspond à une suite de *lazzi*, intermèdes comiques fondés sur des gags et des plaisanteries destinés à dérider le public avant ou après des épisodes plus sérieux. ■

20 DOM JUAN. – Il me semble que tu as la joue enflée ; qu'est-ce que c'est ? Parle donc, qu'as-tu là ?

SGANARELLE. – Rien.

DOM JUAN. – Montre un peu. Parbleu ! c'est une fluxion[1] qui lui est tombée sur la joue. Vite une lancette pour percer cela. Le pauvre garçon n'en peut plus, et cet abcès le pourrait étouffer. Attends : voyez comme il était mûr. Ah ! coquin que vous êtes !

SGANARELLE. – Ma foi ! Monsieur, je voulais voir si votre cuisinier n'avait point mis trop de sel ou trop de poivre.

30 DOM JUAN. – Allons, mets-toi là, et mange. J'ai affaire de toi[2] quand j'aurai soupé. Tu as faim, à ce que je vois.

SGANARELLE, *se met à table*. – Je le crois bien, Monsieur : je n'ai point mangé depuis ce matin. Tâtez de cela, voilà qui est le meilleur du monde.

*Un laquais ôte les assiettes de Sganarelle d'abord[3] qu'il y a dessus à manger.*

Mon assiette, mon assiette ! tout doux, s'il vous plaît, Vertubleu ! petit compère, que vous êtes habile à donner des assiettes nettes[4] ! et vous, petit la Violette, que vous
40 savez présenter à boire à propos !

*Pendant qu'un laquais donne à boire à Sganarelle, l'autre laquais ôte encore son assiette.*

DOM JUAN. – Qui peut frapper de cette sorte ?

1. Inflammation des gencives ou des joues due à une infection dentaire.
2. Je te réglerai ton compte.
3. Dès que.
4. Vides.

SGANARELLE. – Qui diable nous vient troubler dans notre repas ?

DOM JUAN. – Je veux souper en repos au moins, et qu'on ne laisse entrer personne.

SGANARELLE. – Laissez-moi faire, je m'y en vais moi-même.

DOM JUAN. – Qu'est-ce donc ? Qu'y a-t-il ?

SGANARELLE, *baissant la tête comme a fait la Statue.* – Le… qui est là ! 50

DOM JUAN. – Allons voir, et montrons que rien ne me saurait ébranler.

SGANARELLE. – Ah ! pauvre Sganarelle, où te cacheras-tu ?

## Scène 8

DOM JUAN, LA STATUE DU COMMANDEUR,
*qui vient se mettre à table,* SGANARELLE, SUITE

DOM JUAN. – Une chaise et un couvert, vite donc. *(À Sganarelle.)* Allons, mets-toi à table.

SGANARELLE. – Monsieur, je n'ai plus de faim.

DOM JUAN. – Mets-toi là, te dis-je. À boire. À la santé du Commandeur : je te la porte[5], Sganarelle. Qu'on lui donne du vin.

5. Je t'invite à boire avec moi.

SGANARELLE. – Monsieur, je n'ai pas soif.

DOM JUAN. – Bois, et chante ta chanson, pour régaler[1] le Commandeur.

10 SGANARELLE. – Je suis enrhumé, Monsieur.

DOM JUAN. – Il n'importe. Allons. Vous autres, venez, accompagnez sa voix.

LA STATUE. – Dom Juan, c'est assez. Je vous invite à venir demain souper avec moi. En aurez-vous le courage ?

DOM JUAN. – Oui, j'irai, accompagné du seul Sganarelle.

SGANARELLE. – Je vous rends grâce, il est demain jeûne pour moi.

DOM JUAN, *à Sganarelle.* – Prends ce flambeau.

LA STATUE. – On n'a pas besoin de lumière, quand on est
20 conduit par le Ciel.

1. Fêter.

## Scène 1[2]

DOM LOUIS, DOM JUAN, SGANARELLE

DOM LOUIS. – Quoi ? mon fils, serait-il possible que la bonté du Ciel eût exaucé mes vœux ? Ce que vous me dites est-il bien vrai ? ne m'abusez-vous point d'un faux espoir, et puis-je prendre quelque assurance sur[3] la nouveauté surprenante d'une telle conversion ?

DOM JUAN, *faisant l'hypocrite*. – Oui, vous me voyez revenu de toutes mes erreurs ; je ne suis plus le même d'hier au soir, et le Ciel tout d'un coup a fait en moi un changement qui va surprendre tout le monde : il a touché mon âme et dessillé[4] mes yeux, et je regarde avec horreur le long aveuglement où j'ai été, et les désordres criminels de la vie que j'ai menée. J'en repasse dans mon esprit toutes les abominations, et m'étonne comme le Ciel les a pu souffrir si longtemps, et n'a pas vingt fois sur ma tête laissé tomber les coups de sa justice redoutable. Je vois les grâces que sa bonté m'a faites en ne me punissant point de mes crimes ; et je prétends en profiter comme je dois, faire éclater aux yeux du monde un soudain changement de vie, réparer par-là le scandale de mes actions passées, et m'efforcer d'en obtenir du Ciel une pleine rémission[5]. C'est à quoi je vais travailler ; et je vous prie, Monsieur, de vouloir bien contribuer à ce dessein, et de m'aider vous-même à faire choix d'une personne qui me serve de guide[6], et sous la conduite de qui je puisse marcher sûrement dans le chemin où je m'en vais entrer.

2. Le décor de l'acte V représente la campagne aux portes de la ville.
3. Me fier à.
4. Ouvert.
5. Pardon.
6. Directeur de conscience.

DOM LOUIS. – Ah ! mon fils, que la tendresse d'un père est aisément rappelée, et que les offenses d'un fils s'évanouissent vite au moindre mot de repentir ! Je ne me souviens plus déjà de tous les déplaisirs que vous m'avez donnés, et tout est effacé par les paroles que vous venez de me faire entendre. Je ne me sens pas[1], je l'avoue ; je jette des larmes de joie ; tous mes vœux sont satisfaits, et je n'ai plus rien désormais à demander au Ciel. Embrassez-moi, mon fils, et persistez, je vous conjure, dans cette louable pensée. Pour moi, j'en vais tout de ce pas porter l'heureuse nouvelle à votre mère, partager avec elle les doux transports du ravissement où je suis, et rendre grâce au Ciel des saintes résolutions qu'il a daigné vous inspirer.

## Scène 2

DOM JUAN, SGANARELLE

SGANARELLE. – Ah ! Monsieur, que j'ai de joie de vous voir converti ! Il y a longtemps que j'attendais cela, et voilà, grâce au Ciel, tous mes souhaits accomplis.

DOM JUAN. – La peste le benêt !

SGANARELLE. – Comment, le benêt ?

DOM JUAN. – Quoi ? tu prends pour de bon argent ce que je viens de dire, et tu crois que ma bouche était d'accord avec mon cœur ?

1. Je suis transporté de joie.

SGANARELLE. – Quoi ? ce n'est pas… Vous ne… Votre… Oh ! quel homme ! quel homme ! quel homme ! 10

DOM JUAN. – Non, non, je ne suis point changé, et mes sentiments sont toujours les mêmes.

SGANARELLE. – Vous ne vous rendez pas[2] à la surprenante merveille[3] de cette statue mouvante et parlante ?

DOM JUAN. – Il y a bien quelque chose là-dedans que je ne comprends pas ; mais quoi que ce puisse être, cela n'est pas capable ni de convaincre mon esprit, ni d'ébranler mon âme ; et si j'ai dit que je voulais corriger ma conduite et me jeter dans un train de vie exemplaire, c'est un dessein que j'ai formé par pure politique[4], un stratagème utile, une grimace[5] nécessaire où je veux me contraindre, pour ménager 20 un père dont j'ai besoin, et me mettre à couvert, du côté des hommes, de cent fâcheuses aventures qui pourraient m'arriver. Je veux bien, Sganarelle, t'en faire confidence, et je suis bien aise d'avoir un témoin du fond de mon âme et des véritables motifs qui m'obligent à faire les choses.

SGANARELLE. – Quoi ? vous ne croyez rien du tout, et vous voulez cependant vous ériger en homme de bien ?

DOM JUAN. – Et pourquoi non ? Il y en a tant d'autres comme moi, qui se mêlent de ce métier, et qui se servent du même 30 masque pour abuser le monde !

SGANARELLE. – Ah ! quel homme ! quel homme !

DOM JUAN. – Il n'y a plus de honte maintenant à cela : l'hypocrisie est un vice à la mode, et tous les vices à la mode

« Tantôt athée tantôt mystique… »

Daniel Mesguich
*metteur en scène*

2. Vous n'êtes pas convaincu par.
3. Phénomène inexplicable, miracle.
4. Calcul, ruse.
5. Tromperie, hypocrisie.

passent pour vertus. Le personnage d'homme de bien est le meilleur de tous les personnages qu'on puisse jouer aujourd'hui, et la profession[1] d'hypocrite a de merveilleux avantages. C'est un art de qui[2] l'imposture est toujours respectée ; et quoiqu'on la découvre, on n'ose rien dire contre 40 elle. Tous les autres vices des hommes sont exposés à la censure, et chacun a la liberté de les attaquer hautement ; mais l'hypocrisie est un vice privilégié, qui, de sa main, ferme la bouche à tout le monde, et jouit en repos d'une impunité souveraine. On lie, à force de grimaces, une société étroite avec tous les gens du parti[3]. Qui en choque[4] un se les jette tous sur les bras ; et ceux que l'on sait même agir de bonne foi là-dessus, et que chacun connaît pour être véritablement touchés[5], ceux-là, dis-je, sont toujours les dupes des autres ; ils donnent hautement dans le panneau des grimaciers et 50 appuient aveuglément les singes de leurs actions. Combien crois-tu que j'en connaisse qui, par ce stratagème, ont rhabillé adroitement les désordres de leur jeunesse, qui se sont fait un bouclier du manteau de la religion, et, sous cet habit respecté, ont la permission d'être les plus méchants hommes du monde ? On a beau savoir leurs intrigues et les connaître pour ce qu'ils sont, ils ne laissent pas[6] pour cela d'être en crédit parmi les gens ; et quelque baissement de tête, un soupir mortifié, et deux roulements d'yeux rajustent dans le monde tout ce qu'ils peuvent faire. C'est sous 60 cet abri favorable que je veux me sauver, et mettre en sûreté mes affaires. Je ne quitterai point mes douces habitudes ; mais j'aurai soin de me cacher et me divertirai à petit bruit. Que si je viens à être découvert, je verrai, sans me remuer, prendre mes intérêts à toute la cabale[7], et je serai défendu par elle envers et contre tous. Enfin c'est là le vrai moyen de

1. Jeu sur le double sens du mot qui, au XVIIe siècle, désigne à la fois le métier ou l'occupation que l'on exerce et la déclaration publique d'une croyance, d'une opinion ou d'un comportement.
2. Dont.
3. Le parti des dévots (voir p.111).
4. Heurte les principes ou les bienséances de quelqu'un.
5. Croyants et dévots authentiques.
6. Ne manquent pas.
7. Je verrai tout le parti dévot défendre mes intérêts.

faire impunément tout ce que je voudrai. Je m'érigerai en censeur des actions d'autrui, jugerai mal de tout le monde, et n'aurai bonne opinion que de moi.Dès qu'une fois on m'aura choqué tant soit peu, je ne pardonnerai jamais et garderai tout doucement une haine irréconciliable. Je ferai le vengeur des intérêts du Ciel, et, sous ce prétexte commode, je pousserai[8] mes ennemis, je les accuserai d'impiété, et saurai déchaîner contre eux des zélés indiscrets[9], qui, sans connaissance de cause, crieront en public contre eux, qui les accableront d'injures, et les damneront hautement de leur autorité privée[10]. C'est ainsi qu'il faut profiter des faiblesses des hommes, et qu'un sage esprit s'accommode aux vices de son siècle.

SGANARELLE. – Ô Ciel ! qu'entends-je ici ? Il ne vous manquait plus que d'être hypocrite pour vous achever de tout point, et voilà le comble des abominations. Monsieur, cette dernière-ci m'emporte et je ne puis m'empêcher de parler. Faites-moi tout ce qu'il vous plaira, battez-moi, assommez-moi de coups, tuez-moi, si vous voulez : il faut que je décharge mon cœur, et qu'en valet fidèle je vous dise ce que je dois. Sachez, Monsieur, que tant va la cruche à l'eau qu'enfin elle se brise ; et comme dit fort bien cet auteur que je ne connais pas, l'homme est en ce monde ainsi que l'oiseau sur la branche ; la branche est attachée à l'arbre ; qui s'attache à l'arbre suit de bons préceptes ; les bons préceptes valent mieux que les belles paroles ; les belles paroles se trouvent à la cour ; à la cour sont les courtisans ; les courtisans suivent la mode ; la mode vient de la fantaisie[11] ; la fantaisie est une faculté de l'âme ; l'âme est ce qui nous donne la vie ; la vie finit par la mort ; la mort nous fait

70

80

90

### Dom Juan en Tartuffe

En se convertissant à la fausse dévotion, Dom Juan reprend le rôle de Tartuffe, le personnage éponyme de la précédente comédie de Molière : cet imposteur feignait d'être un dévot austère pour escroquer son hôte et séduire l'épouse de celui-ci. L'éloge ironique de l'hypocrisie que fait ici Dom Juan permet à Molière de régler ses comptes avec la « cabale » des dévots et la Compagnie du Saint Sacrement (voir p. 6-7). ■

8. Presserai pour faire reculer (terme militaire).
9. Fanatiques aveuglés.
10. En leur nom.
11. Imagination.

penser au Ciel ; le Ciel est au-dessus de la terre ; la terre n'est point la mer ; la mer est sujette aux orages ; les orages tourmentent les vaisseaux ; les vaisseaux ont besoin d'un bon pilote ; un bon pilote a de la prudence ; la prudence 100 n'est point dans les jeunes gens ; les jeunes gens doivent obéissance aux vieux ; les vieux aiment les richesses ; les richesses font les riches ; les riches ne sont pas pauvres ; les pauvres ont de la nécessité[1], nécessité n'a point de loi ; qui n'a point de loi vit en bête brute ; et par conséquent, vous serez damné à tous les diables.

DOM JUAN. – Ô le beau raisonnement !

SGANARELLE. – Après cela, si vous ne vous rendez, tant pis pour vous.

## Scène 3

DOM CARLOS, DOM JUAN, SGANARELLE

DOM CARLOS. – Dom Juan, je vous trouve à propos, et suis bien aise de vous parler ici plutôt que chez vous, pour vous demander vos résolutions. Vous savez que ce soin me regarde, et que je me suis en votre présence chargé de cette affaire. Pour moi je ne le cèle[2] point, je souhaite fort que les choses aillent dans la douceur ; et il n'y a rien que je ne fasse pour porter votre esprit à vouloir prendre cette voie, et pour vous voir publiquement confirmer à ma sœur le nom de votre femme[3].

1. Sont dans le besoin.
2. Je ne le cache pas.
3. Confirmer votre mariage avec ma sœur, la reconnaître comme votre épouse.

DOM JUAN, *d'un ton hypocrite.* – Hélas ! je voudrais bien, de tout mon cœur, vous donner la satisfaction que vous souhaitez ; mais le Ciel s'y oppose directement : il a inspiré à mon âme le dessein de changer de vie, et je n'ai point d'autres pensées maintenant que de quitter entièrement tous les attachements du monde, de me dépouiller au plus tôt de toutes sortes de vanités, et de corriger désormais par une austère conduite tous les dérèglements criminels où m'a porté le feu d'une aveugle jeunesse.

DOM CARLOS. – Ce dessein, Dom Juan, ne choque[4] point ce que je dis ; et la compagnie d'une femme légitime peut bien s'accommoder avec les louables pensées que le Ciel vous inspire.

DOM JUAN. – Hélas ! point du tout. C'est un dessein que votre sœur elle-même a pris : elle a résolu sa retraite, et nous avons été touchés[5] tous deux en même temps.

DOM CARLOS. – Sa retraite ne peut nous satisfaire, pouvant être imputée au mépris que vous feriez d'elle et de notre famille ; et notre honneur demande qu'elle vive avec vous.

DOM JUAN. – Je vous assure que cela ne se peut. J'en avais, pour moi, toutes les envies du monde, et je me suis même encore aujourd'hui conseillé au Ciel[6] pour cela ; mais, lorsque je l'ai consulté, j'ai entendu une voix qui m'a dit que je ne devais point songer à votre sœur, et qu'avec elle assurément je ne ferais point mon salut.

DOM CARLOS. – Croyez-vous, Dom Juan, nous éblouir par ces belles excuses ?

4. N'est pas en contradiction avec.
5. Sous-entendu : par la grâce divine.
6. J'ai demandé conseil au Ciel.

DOM JUAN. – J'obéis à la voix du Ciel.

DOM CARLOS. – Quoi ? vous voulez que je me paye[1] d'un semblable discours ?

40 DOM JUAN. – C'est le Ciel qui le veut ainsi.

DOM CARLOS. – Vous aurez fait sortir ma sœur d'un couvent, pour la laisser ensuite ?

DOM JUAN. – Le Ciel l'ordonne de la sorte.

DOM CARLOS. – Nous souffrirons cette tache en notre famille ?

DOM JUAN. – Prenez-vous-en au Ciel.

DOM CARLOS. – Et quoi ? toujours le Ciel ?

DOM JUAN. – Le Ciel le souhaite comme cela.

DOM CARLOS. – Il suffit, Dom Juan, je vous entends. Ce n'est pas ici que je veux vous prendre[2], et le lieu ne le souffre pas ;
50 mais, avant qu'il soit peu, je saurai vous trouver.

DOM JUAN. – Vous ferez ce que vous voudrez ; vous savez que je ne manque point de cœur[3], et que je sais me servir de mon épée quand il le faut. Je m'en vais passer tout à l'heure dans cette petite rue écartée qui mène au grand couvent ; mais je vous déclare, pour moi, que ce n'est point moi qui me veux battre : le Ciel m'en défend la pensée ; et si vous m'attaquez, nous verrons ce qui en arrivera.

DOM CARLOS. – Nous verrons, de vrai, nous verrons.

1. Que je sois satisfait.
2. Vous provoquer en duel.
3. Courage.

## Scène 4

Dom Juan, Sganarelle

Sganarelle. – Monsieur, quel diable de style prenez-vous là ? Ceci est bien pis que le reste, et je vous aimerais bien mieux encore comme vous étiez auparavant. J'espérais toujours de votre salut ; mais c'est maintenant que j'en désespère ; et je crois que le Ciel, qui vous a souffert jusques ici, ne pourra souffrir du tout cette dernière horreur.

Dom Juan. – Va, va, le Ciel n'est pas si exact[4] que tu penses ; et si toutes les fois que les hommes…

Sganarelle. – Ah ! Monsieur, c'est le Ciel qui vous parle, et c'est un avis qu'il vous donne.

10

Dom Juan. – Si le Ciel me donne un avis, il faut qu'il parle un peu plus clairement, s'il veut que je l'entende.

## Scène 5

Dom Juan, Un Spectre, *en femme voilée*, Sganarelle

Le Spectre. – Dom Juan n'a plus qu'un moment à pouvoir profiter de la miséricorde du Ciel ; et s'il ne se repent ici[5], sa perte est résolue.

Sganarelle. – Entendez-vous, Monsieur ?

### Deus ex machina

L'intervention du surnaturel dans le dénouement s'inspire du procédé, traditionnel au théâtre, appelé *deus ex machina* : l'expression signifie littéralement « un dieu intervenant sur scène grâce à une machine » et désigne un dénouement précipité par une intervention inattendue mais pas forcément surnaturelle. Dans la dernière scène de *Tartuffe*, par exemple, le Roi fait arrêter l'imposteur et sauve ainsi ses victimes.■

4. Strict.
5. Maintenant.

5 DOM JUAN. – Qui ose tenir ces paroles ? Je crois connaître cette voix.

SGANARELLE. – Ah ! Monsieur, c'est un spectre : je le reconnais au marcher.

DOM JUAN. – Spectre, fantôme, ou diable, je veux voir ce que
10 c'est.

*Le Spectre change de figure et représente le Temps avec sa faux à la main.*

SGANARELLE. – Ô Ciel ! voyez-vous, Monsieur, ce changement de figure ?

15 DOM JUAN. – Non, non, rien n'est capable de m'imprimer de la terreur, et je veux éprouver avec mon épée si c'est un corps ou un esprit.

*Le Spectre s'envole dans le temps que Dom Juan le veut frapper.*

20 SGANARELLE. – Ah ! Monsieur, rendez-vous à tant de preuves, et jetez-vous vite dans le repentir.

DOM JUAN. – Non, non, il ne sera pas dit, quoi qu'il arrive, que je sois capable de me repentir. Allons, suis-moi.

« À la fin de la pièce, il ne reste rien…, des cendres. Ce n'est pas que Dom Juan est mort, c'est que Dom Juan est fini. »

Daniel Mesguich
*metteur en scène*

Scène 6

### LA STATUE, DOM JUAN, SGANARELLE

LA STATUE. – Arrêtez, Dom Juan : vous m'avez hier donné parole de venir manger avec moi.

DOM JUAN. – Oui. Où faut-il aller ?

LA STATUE. – Donnez-moi la main.

DOM JUAN. – La voilà.

LA STATUE. – Dom Juan, l'endurcissement au péché traîne[1] une mort funeste, et les grâces du Ciel que l'on renvoie ouvrent un chemin à sa foudre.

DOM JUAN. – Ô Ciel ! que sens-je ? un feu invisible me brûle, je n'en puis plus, et tout mon corps devient …

SGANARELLE. – Ah ! mes gages ! mes gages ! Voilà par sa mort un chacun satisfait : Ciel offensé, lois violées, filles séduites, familles déshonorées, parents outragés, femmes mises à mal, maris poussés à bout, tout le monde est content. Il n'y a que moi seul de malheureux. Mes gages ! mes gages ! mes gages !

1. Entraîne.

## Le dénouement

Dans l'édition non cartonnée de 1682, les dernières paroles de Dom Juan se poursuivent par « et tout mon corps devient un brasier ardent. Ah ! », et sont suivies par une didascalie : « *Le tonnerre tombe avec un grand bruit et de grands éclairs sur Dom Juan ; la terre s'ouvre et l'abîme ; et il sort de grands feux de l'endroit où il est tombé.* »
La répétition finale (« Mes gages, mes gages, mes gages ! ») ne se trouve que dans l'édition hollandaise de 1683. Dans les autres éditions, la réplique de Sganarelle s'achève ainsi : « Il n'y a que moi seul de malheureux, qui, après tant d'années de service, n'ai point d'autre récompense que de voir à mes yeux l'impiété de mon maître punie par le plus épouvantable châtiment du monde. ».

*Dom Juan* (Andrzej Seweryn) et *Elvire* (Françoise Gillard),
mise en scène de Jacques Lassalle, Comédie-Française, Paris, 2002.

*« Un beau livre, c'est celui qui sème à foison les points d'interrogation. »*

Henry Miller

# Relire...

# *Dom Juan*

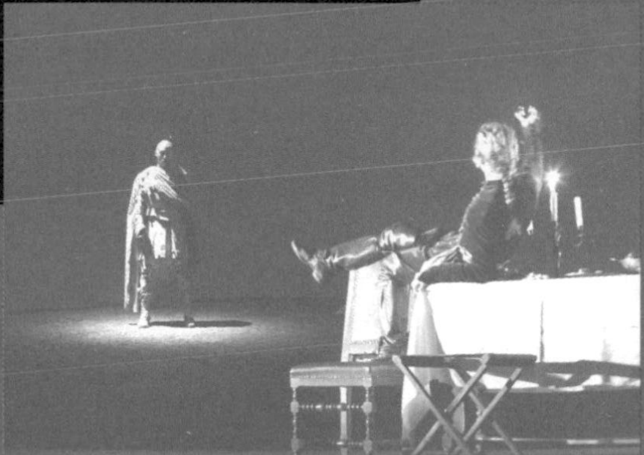

# Testez votre lecture

## Le cadre de l'intrigue

**1** En combien de temps l'action se déroule-t-elle ?

**2** En quel pays la pièce se déroule-t-elle ? L'intrigue et les décors font-ils référence à ce pays ?

**3** Repérez les différents lieux qui se succèdent au fil des cinq actes et expliquez le rôle qu'ils jouent dans l'action.

## Les personnages

**4** Comment Dom Juan se comporte-t-il envers les femmes ?

**5** Quelle attitude Dom Juan adopte-t-il envers les croyances religieuses et les valeurs morales de son époque ?

**6** Quel type de relation lie Sganarelle à Dom Juan ?

**7** À quelles catégories sociales appartiennent les autres personnages secondaires ?

## La structure et les registres de la pièce

**8** Dans la scène d'exposition, Sganarelle déclare qu'il est sur le point de partir avec son maître : quels motifs expliquent ce départ ?

**9** Dans quelle mesure Dom Juan semble-t-il être à la fois poursuivant et poursuivi tout au long de la pièce ?

10 Quelle rencontre décisive Dom Juan fait-il dans l'acte III ? En quoi cette scène constitue-t-elle le pivot de l'intrigue ?

11 Quels sont les différents registres qui se mêlent au cours de la pièce ?

12 Le dénouement était-il prévisible ? Vous paraît-il heureux ou malheureux ?

## La portée de la pièce

13 Quel sens peut-on donner au sous-titre de la pièce *Dom Juan ou Le Festin de Pierre* ?

14 Traditionnellement, le personnage mythique de Dom Juan est à la fois séducteur et impie : Molière vous paraît-il avoir privilégié l'une de ces facettes ?

15 Comment Molière poursuit-il dans cette pièce le combat contre l'hypocrisie qu'il a mené durant toute sa carrière ?

16 Quels passages de la pièce vous semblent-ils difficiles à mettre en scène et pourquoi ?

# Structure de l'œuvre

| Scènes | Personnages | Sujets |
|---|---|---|
| | **ACTE I - Le portrait d'un insolent inconstant**<br>*Un palais avec un jardin dans le fond* | |
| | **Acte d'exposition où Dom Juan apparaît comme un séducteur insatiable, immoral et indifférent aux menaces de vengeance d'Elvire.** | |
| **Scène 1** | **Sganarelle, Gusman** | Sganarelle présente son maître Dom Juan à Gusman comme un «grand seigneur méchant homme» infidèle. |
| **Scène 2** | **Dom Juan, Sganarelle** | Dom Juan fait un brillant éloge de l'inconstance devant Sganarelle. |
| **Scène 3** | **Done Elvire, Dom Juan, Sganarelle** | Sommé par Elvire d'expliquer sa fuite, Dom Juan invoque de faux scrupules religieux. Elvire le menace. |
| | **ACTE II - Les plaisirs et les pièges de la séduction**<br>*La campagne, près de la mer* | |
| | **Un intermède sous forme de farce, parodiant la pastorale pour montrer le séducteur beau parleur auprès de deux paysannes... mais pourchassé par les frères d'Elvire.** | |
| **Scène 1** | **Charlotte, Pierrot** | Pierrot, un paysan, raconte en patois à sa fiancée Charlotte comment il a sauvé de la noyade un maître et son valet. |
| **Scène 2** | **Dom Juan, Sganarelle, Charlotte** | Dom Juan séduit Charlotte en lui promettant le mariage. |
| **Scène 3** | **Dom Juan, Sganarelle, Pierrot, Charlotte** | Dom Juan frappe Pierrot qui a surpris ses manœuvres séductrices. |
| **Scène 4** | **Dom Juan, Sganarelle, Charlotte, Mathurine** | Dom Juan virevolte entre Charlotte et Mathurine à qui il a également promis le mariage. |
| **Scène 5** | **Dom Juan, La Ramée, Charlotte, Mathurine, Sganarelle** | Prévenu que douze hommes le recherchent, le séducteur s'esquive. |
| | **ACTE III - De rencontres en défis, la montée des menaces**<br>*De la scène 1 à la 1re partie de la scène 5 :*<br>*Une forêt avec en arrière-plan un temple abritant le tombeau du Commandeur*<br>*Dernière partie de la scène 5 : à l'intérieur du temple* | |
| | **Un enchaînement de péripéties illustre le libertinage d'esprit du héros qui multiplie les provocations au gré deson errance et de ses rencontres en forêt.** | |
| **Scène 1** | **Dom Juan, Sganarelle** | Sganarelle, déguisé en médecin, reproche à son maître son incroyance. |
| **Scène 2** | **Dom Juan, Sganarelle, un Pauvre** | Dom Juan tente de faire blasphémer un Pauvre. |
| **Scène 3** | **Dom Juan, Dom Carlos, Sganarelle** | Dom Juan, incognito, secourt Dom Carlos, le frère d'Elvire, attaqué par des voleurs. |

| | | |
|---|---|---|
| **Scène 4** | **Dom Alonse et trois Suivants, Dom Carlos, Dom Juan, Sganarelle** | Dom Alonse, autre frère d'Elvire, reconnaît Dom Juan et veut aussitôt venger l'honneur familial mais Dom Carlos l'en empêche. |
| **Scène 5** | **Dom Juan, Sganarelle** | Dom Juan entre avec Sganarelle dans le mausolée du Commandeur qu'il a récemment tué. Par défi, il invite à dîner la Statue qui hoche la tête en signe d'acceptation. |
| | **ACTE IV - Comment esquiver les fâcheux ?** *L'appartement de Dom Juan* | |
| | **Défilé tragi-comique de visiteurs indésirables demandant des comptes à Dom Juan.** | |
| **Scène 1** | **Dom Juan, Sganarelle** | Dom Juan élude les avertissements de son valet et lui réclame son souper. |
| **Scène 2** | **Dom Juan, La Violette, Sganarelle** | On lui annonce la venue de M. Dimanche, son créancier. |
| **Scène 3** | **Dom Juan, M. Dimanche, Sganarelle, Suite** | Dom Juan éconduit M. Dimanche en l'accablant de compliments. |
| **Scène 4** | **Dom Louis, Dom Juan, La Violette, Sganarelle** | Dom Juan est insolent face aux remontrances paternelles. |
| **Scène 5** | **Dom Juan, Sganarelle** | Le fils indigne souhaite la mort de son père, ce que Sganarelle feint lâchement d'approuver. |
| **Scène 6** | **Dom Juan, Done Elvire, Ragotin, Sganarelle** | Elvire vient supplier Dom Juan de s'amender. |
| **Scène 7** | **Dom Juan, Sganarelle, Suite** | Dom Juan raille la goinfrerie de Sganarelle et voit arriver la Statue du Commandeur. |
| **Scène 8** | **Dom Juan, La Statue du Commandeur, Sganarelle, Suite** | La Statue invite Dom Juan à venir souper chez elle le lendemain. |
| | **ACTE V - Le châtiment du libertin hypocrite** *Aux portes d'une ville* | |
| | **Acte de dénouement, qui voit la conversion du libertin à l'hypocrisie religieuse précipiter son châtiment divin.** | |
| **Scène 1** | **Dom Louis, Dom Juan, Sganarelle** | Dom Juan joue la comédie de la repentance dévote auprès de son père. |
| **Scène 2** | **Dom Juan, Sganarelle** | Dom Juan fait un éloge satirique de l'hypocrisie, « vice à la mode ». |
| **Scène 3** | **Dom Carlos, Dom Juan, Sganarelle** | Dom Juan joue à nouveau l'hypocrite envers DomCarlos. |
| **Scène 4** | **Dom Juan, Sganarelle** | Sganarelle reproche à Dom Juan sa fausse dévotion. |
| **Scène 5** | **Dom Juan, un Spectre, Sganarelle** | Apparition d'un Spectre en femme voilée qui se métamorphose en allégorie du Temps. |
| **Scène 6** | **La Statue, Dom Juan, Sganarelle** | La Statue entre en scène et ordonne à Dom Juan de lui donner la main. Le libertin est foudroyé tandis que Sganarelle déplore ses gages impayés. |

# Pause lecture 1

## Comment Dom Juan justifie-t-il son infidélité amoureu

**Acte I, scène 2, l 40-81**

### Retour au texte

1 • Que sait le spectateur de Dom Juan avant son entrée en scène ?

2 • Qu'est-ce qui amène Dom Juan à justifier sa conduite par cette longue tirade ?

### Interprétation

**Un éloge paradoxal de l'inconstance**

3 • Distinguez les quatre grandes étapes de l'argumentation dans la tirade.

4 • Quels pronoms Dom Juan emploie-t-il ? Quels effets crée le recours à ces pronoms ?

5 • Comment Dom Juan discrédite-t-il la fidélité amoureuse prônée par Sganarelle ?

6 • Quels avantages offre l'inconstance, selon Dom Juan ?

7 • En quoi cette tirade s'inspire-t-elle du modèle rhétorique de l'éloge paradoxal (voir p. 109) ?

**Le séducteur : victime ou prédateur ?**

8 • Quels mots, empruntés au lexique de la morale et du droit, suggèrent que le séducteur ne ferait que rendre justice aux femmes ?

9 • Comment le libertin montre-t-il qu'il préfère la séduction à l'amour durable ?

10 • Étudiez la métaphore filée assimilant la séduction à une conquête militaire.

**La comédie du séducteur**

11 • Quel effet crée la réplique de Sganarelle qui suit immédiatement la tirade de Dom Juan (l. 82 à 84) ?

12 • Pourquoi peut-on dire que le séducteur est ici aussi beau parleur que comédien ?

13 • Dans la mise en scène de Jacques Lassalle, en 1993, Dom Juan était, tout au long de cette scène, déshabillé, maquillé puis rhabillé par Sganarelle. Que pensez-vous de ce choix ?

### Et vous ?

Rédigez l'éloge paradoxal d'un comportement, d'un personnage, ou d'un phénomène habituellement discrédités ou bien jugés insignifiants.

## Vers l'oral du bac

1 **Question sur l'extrait étudié** - Pourquoi le modèle rhétorique de l'éloge paradoxal convient-il bien au thème et au héros de la pièce de Molière ?

2 **Question sur l'ensemble de la pièce** - Dom Juan paraît-il maître ou esclave de ses désirs ?

## Synésios de Cyrène, *Éloge de la calvitie*, IVᵉ s. ap. J.-C.

*En réponse ironique à* L'Éloge de la chevelure *de Dion Chrysostome (40-112 ap. J.-C.), l'écrivain grec Synésios de Cyrène composa, plus de deux siècles plus tard, un* Éloge de la calvitie. *Ce texte, plein d'humour virtuose, exploite le genre littéraire de l'éloge paradoxal inauguré au vᵉ siècle av. J.-C. par le sophiste Gorgias avec son « éloge d'Hélène » renversant l'opinion courante, qui tenait celle-ci pour une femme débauchée et responsable de la guerre de Troie.*

Mon discours prouvera que les chauves ont moins de raisons que quiconque d'avoir honte.
En vérité, pourquoi rougir d'avoir la tête lisse, du moment qu'y poussent autant d'idées que dans celle, célébrée par Homère, du héros Achille ? Lequel ne se soucie guère de ses cheveux puisqu'il va jusqu'à les offrir à un mort ! D'ailleurs cheveux et poils sont des matières mortes, accrochées aux vivants comme des parties sans vie. C'est pourquoi les animaux les plus stupides en ont le corps entièrement couvert, alors que l'homme, qui a reçu en partage une vie plus claire, est presque entièrement dépourvu de ce fardeau infligé par la nature. Mais, pour qu'il ne fanfaronne pas en oubliant ce qu'il a de commun avec les êtres voués à la mort, l'être humain est velu à certains endroits du corps. Celui, donc, qui n'a pas de cheveux est aux autres hommes ce que l'homme est aux bêtes sauvages.
Si l'homme est à la fois le plus intelligent et le moins velu des êtres vivants, de l'aveu de tous, le mouton – qui est le plus stupide de tous les bestiaux – est aussi celui dont la toison est la moins clairsemée et la plus épaisse. Conclusion : la pilosité est ennemie de l'intelligence puisque toutes deux refusent de coexister.
Sur ce point, écoutons les chasseurs – gens qui me sont chers, tout comme l'art qu'ils pratiquent : ce sont les chiens aux oreilles et au ventre glabres qui sont les plus intelligents ; ceux qui portent un pelage abondant sont stupides et arrogants, et mieux vaut qu'ils ne prennent pas part à la chasse.

Traduit du grec et présenté par Claude Terreaux,

# Pause lecture 2 Un intermède simplement comique ?

**Acte II, scène 2**

## Retour au texte

1 • Qu'est-il arrivé à Dom Juan et à Sganarelle entre l'acte I et l'acte II ? Comment le sait-on ?

2 • Qu'apprend-on sur Charlotte (scène 1, acte II) ?

3 • De qui parle Dom Juan dans sa réplique : « la paysanne que je viens de quitter répare ce malheur » (l. 3-4) ? Quel est l'intérêt de ces propos précédant l'arrivée de Charlotte ?

## Interprétation

### Une parodie de la pastorale

4 • Lisez la définition de la pastorale dramatique (p. 111). En quoi Molière reprend et transforme-t-il ce genre théâtral ?

5 • Quels signes manifestent l'appartenance de Charlotte à la paysannerie ?

6 • En quoi cette scène est-elle un épisode de farce ?

### La stratégie séductrice

7 • Dégagez les étapes et les moyens de l'entreprise de séduction de Dom Juan.

8 • Quelles sont les réactions successives de Charlotte ?

9 • Quel rôle Dom Juan fait-il jouer à Sganarelle ?

### La portée critique de cette scène comique

10 • Montrez que Charlotte est à la fois un objet de désir et de moquerie aux yeux de Dom Juan.

11 • Quels effets créent les références au « Ciel » dans le discours de Dom Juan ?

12 • Cette scène vous paraît-elle mettre en valeur ou discréditer le séducteur ?

## Et vous ?

### Débat oral

Comment pourrait-on actualiser, dans une pièce de théâtre, un film ou un roman d'aujourd'hui, cette scène de séduction entre deux personnages séparés par leur origine sociale ?

## Vers l'oral du bac

1 **Question sur l'extrait étudié** - Comment la mise en scène peut-elle faire ressortir le caractère à la fois comique et cruel de cette scène de farce ?

2 **Question sur un autre extrait** - Dom Juan vous paraît-il appliquer la leçon de séduction qu'il exposait dans la scène 2 de l'acte I ?

## Texte • Jean-Pierre Ryngaert, article « Pastorale dramatique », 1987

La pastorale dramatique est un genre aristocratique, tour à tour lyrique et élégiaque, qui se développe en Italie à la Renaissance et qui triomphe en France autour de 1630. […] [Elle] se caractérise par une intrigue en forme de chaîne amoureuse. Les jeunes gens et jeunes filles qui l'animent (le plus souvent, des bergers et bergères) sont rassemblés en couples qui se font et se défont au fil de l'œuvre et qui s'assemblent au dénouement selon un nouvel ordre amoureux, plus satisfaisant que l'ordre initial. En principe, l'intrigue pastorale exclut les surprises non préparées ainsi que les aventures soudaines. Elle obéit à une certaine géométrie interne, et sa mobilité constante s'inscrit plutôt dans les limites définies au point de départ.
La Nature, accueillante ou hostile, sert de cadre aux bergers et bergères, qui rêvent et qui soupirent dans une campagne faite pour leurs loisirs. Mais le schéma amoureux de la pastorale est repris dans d'autres cadres – par exemple, dans les comédies du jeune Corneille ou certaines tragi-comédies de Rotrou, qui mettent en scène de jeunes bourgeois ou des aristocrates.
Genre de Cour, la pastorale s'offre comme modèle de vie, comme utopie pour l'aristocratie. Son univers naturel, que ce soit le Forez ou l'Arcadie, s'oppose à la vie artificielle de la Cour. Cependant, cette nature est elle-même fortement conventionnelle, et n'a que peu à voir avec la réalité des campagnes françaises. Les personnages que l'on retrouve d'œuvre en œuvre permettent le merveilleux (les magiciens) ou même quelques développements burlesques (les satyres). […] L'essentiel demeure cependant le caractère baroque de la pastorale, qui développe le jeu des apparences, du déguisement et de l'inconstance. La fuite des êtres, l'instabilité des sentiments y sont rendues comme nécessaires.

Article « Pastorale dramatique », *Dictionnaire des littératures de langue française*, sous la direction de J.-P. de Beaumarchais, D. Couty, A. Rey, © Bordas.

# Pause lecture 3

## Pourquoi cette scène a-t-elle longtemps suscité le scandale ?

**Acte III, scène 2**

### Retour au texte

1 • Pourquoi Dom Juan et Sganarelle errent-ils en forêt ?

2 • Quelle réplique de Sganarelle assure le lien entre cette scène et la précédente ?

3 • Cette scène fait-elle progresser l'action ? Quel est son principal intérêt ?

### Interprétations

**La face diabolique du séducteur**

4 • En vous référant à l'encadré, p. 59, expliquez pourquoi la demande d'aumône avait une valeur sacrée dans la société de l'époque.

5 • Montrez comment Molière transforme le texte de Dorimond (p. 113) pour lui donner une portée plus subversive.

6 • Comment l'ironie de Dom Juan envers le Pauvre progresse-t-elle au fil du dialogue ? Quelle gradation les différents emplois du verbe *jurer* soulignent-ils ?

7 • Qui, selon vous, sort vainqueur de l'affrontement ?

**Une scène ambiguë**

8 • Expliquez les sous-entendus des répliques de Dom Juan.

9 • Quel sens peut prendre la formule de Dom Juan : « je te le donne pour l'amour de l'humanité » ?

10 • Quel effet crée la fin de la scène qui voit Dom Juan courir au secours d'un « homme attaqué par trois autres » ?

11 • Quel rôle jouent les interventions de Sganarelle ?

### Et vous ?

Le texte ne dit pas si finalement le Pauvre prend ou non le louis d'or que lui tend Dom Juan. Quel choix feriez-vous si vous deviez mettre en scène ce dialogue et en quoi cela influencerait-il l'interprétation du personnage du Pauvre ?

## Vers l'oral du bac

1 **Question sur l'extrait étudié** - En quoi ce dialogue confronte-t-il les principes de la foi et ceux de la raison ?

2 **Question sur l'ensemble de la pièce** - Dans quelle autre scène de *Dom Juan* est-il aussi question d'argent ?

## Dorimond, *Le Festin de Pierre ou le Fils criminel*, 1658

*La tragi-comédie de Nicolas Drouin, dit Dorimond, intitulée* Le Festin de Pierre ou Le Fils criminel *et jouée en 1658, est l'une des versions françaises du mythe de Don Juan dont Molière s'est inspiré. Le personnage principal, nommé Dom Jouan, poursuivi pour avoir tué le père d'une jeune fille qu'il tentait de séduire, fuit en compagnie de son valet Briguelle. Les deux personnages rencontrent un pèlerin dont Dom Jouan va vouloir emprunter les vêtements, pour déguiser son identité.*

DOM JOUAN

[...]
Mon ami, j'ai besoin de cet habillement :
Pourrais-tu bien m'en faire un accommodement ?

LE PÉLERIN

Cet habit-là, Monsieur ?

BRIGUELLE

Qu'est-ce qu'il lui propose ?

LE PÉLERIN

Il m'est cher, et pour vous il est trop peu de chose ;
Puis tout mon bien consiste en ce seul vêtement.

DOM JOUAN

Je te rendrai content[1], donne-le seulement.

LE PÉLERIN

Quoi ! Monsieur, voulez-vous user de tyrannie ?

DOM JOUAN

Ah ! donne-le, te dis-je.

LE PÉLERIN

Ah ! prenez donc ma vie.

DOM JOUAN

Dans ma bourse, tiens, prends tout ce que tu voudras.

BRIGUELLE

Ce pauvre homme, il faudra qu'il en passe le pas[2].

LE PÉLERIN

Monsieur, jamais l'argent ne m'a donné d'envie ;
Je ne l'aimai jamais, et j'ai cette manie
De vivre indifférent pour l'argent et pour l'or ;
Et dedans cet habit je vois tout mon trésor.

DOM JOUAN

Sans plus me contester, pense à me satisfaire.
Passe sous cet ormeau, évite ma colère.

LE PÉLERIN

Monsieur, considérez…

DOM JOUAN

Tes cris sont superflus ;
Si tu chéris ton bien, ne me résiste plus.
Viens, tu seras content ; et toi, fais diligence[3] :
Va promptement au port.

Acte III, scène 2, v. 823 à 842, textes établis, annotés et présentés par Mariangela Mazzocchi Doglio, Schena-Nizet, 1992 (graphie modernisée).

1. Je t'en donnerai un bon prix, tu seras satisfait.
2. Qu'il cède.
3. Dépêche-toi..

*M. Dimanche* (Laurent Montel) et ses enfants, *Dom Juan* (Daniel Mesguich), mise en scène de Daniel Mesguich, Théâtre de l'Athénée-Louis Jouvet, 2003.

# Pause lecture 4 — Dom Juan et son créancier : farce ou subversion ?

**Acte IV, scène 3**

## Retour au texte

1 • Où et quand a lieu la scène ?

2 • À la fin de la scène précédente, comment Dom Juan présente-t-il le stratagème qu'il va adopter envers son créancier ?

## Interprétation

### Les ressorts comiques de la scène

3 • Comment Dom Juan empêche-t-il Monsieur Dimanche de réclamer son dû ?

4 • Quelles phrases à double entente manifestent l'ironie du débiteur envers son créancier ?

5 • Repérez ou imaginez le comique gestuel de cette scène. À quelle autre forme de comique fait appel le dialogue final entre Sganarelle et Monsieur Dimanche ?

6 • Lisez le texte (p. 117) extrait du *Bourgeois gentilhomme* et expliquez ce qui l'apparente à une réécriture de la scène avec Monsieur Dimanche.

### La transgression de l'ordre social

7 • En quoi les civilités exagérées de l'aristocrate, ainsi que le jeu des sièges, perturbent-ils les codes de la hiérarchie sociale ?

8 • En prenant en compte les caractéristiques de Dom Juan dans l'ensemble de la pièce, quel sens pouvez-vous donner au refus de payer ses dettes ? (lisez aussi le texte de Sarah Kofman p. 167).

9 • Dans quelle mesure peut-on comparer cette scène à l'affrontement avec le Pauvre (III, 2) ?

## Et vous ?

Dans sa mise en scène de *Dom Juan* en 2002, Daniel Mesguich a proposé une interprétation singulière de cette scène (voir p. 161).

À partir de cet exemple, que vous confronterez à d'autres textes et représentations, vous vous demanderez par quels moyens et dans quelles limites la mise en scène peut éclairer, modifier ou renouveler l'interprétation d'une pièce de théâtre.

## Vers l'oral du bac

1 **Question sur l'extrait étudié** - En quoi Dom Juan se conduit-il ici en « grand seigneur méchant homme » comme le qualifie Sganarelle dans la scène d'exposition ?

2 **Question sur un autre extrait** - Quels points communs y a-t-il entre cette scène et celles qui la suivent dans l'acte IV ?

## Molière,
## *Le Bourgeois gentilhomme*, 1670

*Cinq ans après* Dom Juan, *Molière crée* Le Bourgeois gentilhomme, *comédie-ballet tournant en dérision un marchand drapier, Monsieur Jourdain, bourgeois enrichi par le commerce qui s'évertue à ressembler à un noble. Il est la dupe d'un comte, Dorante, qui lui extorque de fortes sommes sous prétexte de l'aider à accomplir ses projets.*

DORANTE, MONSIEUR JOURDAIN, MADAME JOURDAIN, NICOLE

DORANTE. – Mon cher ami, Monsieur Jourdain, comment vous portez-vous ?

MONSIEUR JOURDAIN. – Fort bien, Monsieur, pour vous rendre mes petits services.

DORANTE. – Et Madame Jourdain que voilà, comment se porte-t-elle ?

MADAME JOURDAIN. – Madame Jourdain se porte comme elle peut.

DORANTE. – Comment ! Monsieur Jourdain, vous voilà le plus propre[1] du monde !

MONSIEUR JOURDAIN. – Vous voyez.

DORANTE. – Vous avez tout à fait bon air avec cet habit, et nous n'avons point de jeunes gens à la cour qui soient mieux faits que vous.

MONSIEUR JOURDAIN. – Hai ! Hai !

MADAME JOURDAIN, *à part*. – Il le gratte par où il se démange.

DORANTE. – Tournez-vous. Cela est tout à fait galant.

MADAME JOURDAIN, *à part*. – Oui, aussi sot par derrière que par devant.

DORANTE. – Ma foi, Monsieur Jourdain, j'avais une impatience étrange[2] de vous

1. Élégant.
2. Extrême.

voir. Vous êtes l'homme du monde que j'estime le plus, et je parlais de vous encore ce matin dans la chambre du roi.

MONSIEUR JOURDAIN. – Vous me faites beaucoup d'honneur, Monsieur. (*À Madame Jourdain.*) Dans la chambre du roi !

DORANTE. – Allons, mettez[3]...

MONSIEUR JOURDAIN. – Monsieur, je sais le respect que je vous dois.

DORANTE. – Mon Dieu, mettez ; point de cérémonie entre nous, je vous prie.

MONSIEUR JOURDAIN. – Monsieur...

DORANTE. – Mettez, vous dis-je, Monsieur Jourdain ; vous êtes mon ami.

MONSIEUR JOURDAIN. – Monsieur, je suis votre serviteur.

DORANTE. – Je ne me couvrirai point, si vous ne vous couvrez.

MONSIEUR JOURDAIN *se couvrant.* – J'aime mieux être incivil qu'importun.

DORANTE. – Je suis votre débiteur, comme vous le savez.

MADAME JOURDAIN, *à part.* – Oui, nous ne le savons que trop.

DORANTE. – Vous m'avez généreusement prêté de l'argent en plusieurs occasions, et vous m'avez obligé de la meilleure grâce du monde, assurément.

MONSIEUR JOURDAIN. – Monsieur, vous vous moquez.

DORANTE. – Mais je sais rendre ce qu'on me prête, et reconnaître les plaisirs qu'on me fait.

MONSIEUR JOURDAIN. – Je n'en doute point, Monsieur.

DORANTE. – Je veux sortir d'affaire avec vous, et je viens ici pour faire nos comptes ensemble.

MONSIEUR JOURDAIN. – Hé bien ! vous voyez votre impertinence, ma femme.

DORANTE. – Je suis homme qui aime à m'acquitter le plus tôt que je puis.

3. Mettez votre chapeau (ôté le temps de se saluer).

MONSIEUR JOURDAIN, *bas à Mme Jourdain*. – Je vous le disais bien.

DORANTE. – Voyons un peu ce que je vous dois.

MONSIEUR JOURDAIN, *bas à Mme Jourdain*. – Vous voilà, avec vos soupçons ridicules.

DORANTE. – Vous souvenez-vous bien de tout l'argent que vous m'avez prêté ?

MONSIEUR JOURDAIN. – Je crois que oui. J'en ai fait un petit mémoire. Le voici. Donné à vous une fois deux cents louis[4].

Acte III, scène 4

4. Monnaie d'or qui valait onze livres.

# Pause lecture 5

## Elvire : un double inversé de Dom Juan ?

**Acte I, scène 3/Acte IV, scène 6**

### Retour au texte

1 • Qui est Elvire ? Que sait-on de son passé et de son statut social ?

2 • Qu'est-il arrivé à Elvire entre ses deux apparitions sur scène ?

### Interprétation

#### De l'épouse vengeresse à la sainte

3 • Quels reproches s'adresse Elvire au début de la scène 3 de l'acte I ?

4 • Dans la scène 6 de l'acte IV, comment et pourquoi Elvire oppose-t-elle deux formes d'amour ?

5 • Dans chacune des deux scènes, que demande Elvire à Dom Juan ? De quoi le menace-t-elle ?

#### Une héroïne tragique et pathétique

6 • Dans quelle mesure Elvire incarne-t-elle le conflit tragique entre raison et passion ?

7 • Quels éléments peuvent susciter la compassion du public envers Elvire ?

8 • Les interventions de Dom Juan et de Sganarelle tendent-elles à renforcer ou à contrebalancer cette émotion ?

#### Le couple Elvire/Dom Juan

9 • Comment Dom Juan réagit-il aux exhortations d'Elvire ? Pourquoi ?

10 • Comment interpréter l'offre d'hospitalité de Dom Juan à Elvire à la fin de la scène 6, acte IV ? Relisez le début de la scène suivante (IV, 7).

11 • À l'aide du texte de Sylvie Parizet (p.122), expliquez en quoi la conversion d'Elvire s'oppose radicalement à l'évolution de Dom Juan.

### Et vous ?

#### Débat oral

Comme le fait Louis Jouvet (p. 121), certains metteurs en scène sacralisent Elvire comme une héroïne touchée par la grâce divine qui la conduit à vouloir sauver Dom Juan. D'autres, au contraire, en font un personnage plus ambiguë, qui confond l'extase mystique et l'émoi érotique. Quel parti pris vous paraît le plus pertinent ? Pourquoi ?

## Vers l'oral du bac

1 **Question sur l'extrait étudié** - Bien qu'Elvire n'entre en scène qu'à deux reprises, il est souvent question d'elle au cours de la pièce : par quels moyens est-elle présente à l'esprit du spectateur ?

2 **Question sur un autre extrait** - Pourquoi, selon vous, certains metteurs en scène font-ils jouer l'apparition du « spectre en femme voilée » (acte V, scène 5) par la comédienne interprétant Elvire ?

## Texte 1 • Louis Jouvet, *Molière et la comédie classique*, 1939

*Metteur en scène, acteur et professeur au Conservatoire, Louis Jouvet fit en 1947 une mise en scène de* Dom Juan *qui contribua à la redécouverte de la pièce dans sa version intégrale. Par ailleurs, il faisait travailler ses élèves du Conservatoire sur les scènes d'apparition d'Elvire. Dans le texte ci-dessous, extrait de la transcription d'un cours du 25 novembre 1939, il donne des conseils pour l'interprétation de la scène 6 de l'acte IV.*

Elvire aime tendrement Dom Juan […]. En même temps que la tendresse, il y a en elle le détachement absolu de toutes choses. Il y a là un caractère de sainteté. C'est une sainte. Il y a une grande pureté de ton et de cœur.
Ne croyez pas qu'il soit nécessaire, quand vous dites : « … que je vous demande avec larmes » d'avoir des larmes dans la voix. C'est une erreur qu'on commet souvent. Il ne s'agit pas de mouiller la voix. C'est absolument inutile. C'est beaucoup plus pur. Ce n'est pas une imploration avec des pleurs. Elvire est quelqu'un qui parle purement, et les larmes qu'elle verse, elle les verse dans une béatitude céleste. Il n'y a pas d'imploration pour un homme qu'elle veut reprendre.

Pause lecture 5

## Texte 2 • Sylvie Parizet, *extrait de l'article* « Elvire », 1999

*Dans cet article de dictionnaire consacré aux différentes versions du mythe de* Don Juan, *l'auteur analyse l'originalité et les fonctions du personnage d'Elvire inventé par Molière.*

En présentant un personnage de grande amoureuse qui est néanmoins capable de résister *in fine* au séducteur, Molière crée la première figure féminine qui puisse enfin donner la réplique à Dom Juan. […] Avec Elvire, Molière dote le mythe d'un grand personnage féminin auquel les futures Anna[1] emprunteront bien des traits, celui de la femme passionnément amoureuse bien sûr, mais aussi celui de la femme salvatrice. En effet, l'Elvire qui exhorte Dom Juan à revenir dans le droit chemin préfigure toutes les femmes qui, à l'époque romantique, tenteront d'aider Dom Juan à sauver son âme, qu'elles aient pour nom Marthe, Inès, Marie ou bien sûr Anna[2].

Mais si Molière traite ce personnage féminin avec un soin particulier, c'est aussi parce qu'il lui confie un rôle clef dans la bataille qui l'oppose aux dévots. En montrant ce qu'une véritable dévotion veut dire, et en opposant à cette authentique métamorphose d'une grande dame la profession de foi opportuniste et hypocrite du séducteur (V, 1), Molière donne une leçon indirecte mais éclatante à ceux qui ont condamné son *Tartuffe*. Dans le contexte de l'époque, la grandeur de la foi d'Elvire est aussi une façon de souligner en creux la misère des dévots.



1. Nom d'un personnage féminin qui joue un rôle secondaire dans la pièce de Tirso de Molina, *L'Abuseur de Séville* (1620), et qui a une grande importance dans l'opéra de Mozart et de Da Ponte, *Don Giovanni* (1787). Anna est doublement victime de Don Juan, qui a tenté de la violer et qui a ensuite tué son père, le Commandeur, qui réapparaîtra en statue vengeresse. Les versions romantiques du mythe feront d'Anna la figure de la jeune femme à la fois victime et rédemptrice du séducteur.
2. Noms de personnages féminins apparaissant dans diverses versions romantiques du mythe de Don Juan.

# Pause lecture 6

## Quelles ambiguïtés recèle ce dénouement surnaturel et spectaculaire ?

**Acte V, scènes 4, 5, 6**

### Retour au texte

1 • Le foudroiement de Dom Juan a-t-il été annoncé au cours de la pièce ?

2 • Quelles caractéristiques du genre du « théâtre à machines » (p. 9) présente ce dénouement ?

3 • Comment l'enchaînement de ces trois scènes crée-t-il un effet de *crescendo* dramatique ?

### Interprétation

**Triomphe de la justice divine ou de la machinerie théâtrale ?**

4 • Comment peuvent être mis en scène les éléments surnaturels ? Quels effets sont-ils censés produire ?

**Défi ultime ou défaite définitive ?**

5 • Quels termes manifestent l'orgueil audacieux de Dom Juan, son refus du repentir et son désir de s'en tenir à l'expérience des sens ?

6 • Comment interprétez-vous les gestes de Dom Juan face au Spectre et à la Statue ?

7 • Commentez l'emploi de l'expression : « Ô Ciel ! » dans sa dernière réplique.

**Dénouement tragique ou comique ?**

8 • Qu'est-ce qui distingue cette scène finale du dénouement traditionnel d'une comédie classique ?

9 • Quel effet crée la dernière réplique de Sganarelle ? Pourquoi, selon vous, celle-ci fut-elle longtemps censurée ?

10 • En quoi la version du dénouement écrite par Thomas Corneille (p. 124) rend-elle la pièce plus conforme à la morale religieuse ?

### Et vous ?

**Écriture d'invention**

Écrivez une scène d'épilogue qui pourrait suivre ce dénouement : Sganarelle raconte la mort de son maître à Elvire, Dom Carlos, Dom Alonse et Dom Louis réunis, tandis que chacun des personnages exprime ce que lui inspirent la vie et la mort de Dom Juan.

## Vers l'oral du bac

**1** **Question sur l'extrait étudié** - « Arrêtez, Dom Juan » ordonne la statue : pour quelles raisons le héros est-il châtié par le Ciel ?

**2** **Question sur l'ensemble de la pièce** - Le conflit posé par Dom Juan au cours de la pièce est-il résolu par l'intervention finale du surnaturel et la mort du héros ?

## Pause lecture 6

# Thomas Corneille, *Le Festin de Pierre*, 1683

*Après la mort de Molière (1673), sa troupe de comédiens rejoue* Dom Juan *en 1677 dans une version en alexandrins intitulée* Le Festin de Pierre *et expurgée des passages jugés audacieux. L'auteur de celle-ci, Thomas Corneille (le fils cadet de l'auteur du* Cid*), déclare dans sa préface avoir pris « la liberté d'adoucir certaines expressions qui avaient blessé les scrupuleux ». On jugera des intentions moralisatrices de cette réécriture dans le dénouement que voici.*

LA STATUE, *prenant Don Juan par le bras.*
Arrête, Don Juan. […] Encore un coup, demeure ;
Tu résistes en vain.
SGANARELLE
Voici ma dernière heure ;
C'en est fait.
DON JUAN, *à la Statue.*
Laisse-moi.
SGANARELLE
Je suis à vos genoux,
Madame la Statue : ayez pitié de nous.
LA STATUE
Je t'attendais ce soir à souper.
DON JUAN
Je t'en quitte[1] :
On me demande ailleurs.
LA STATUE
Tu n'iras pas si vite ;
L'arrêt en est donné ; tu touches au moment

1. Je te tiens quitte, je te dispense de cette invitation.

Où le Ciel va punir ton endurcissement.
Tremble.

DON JUAN

Tu me fais tort quand tu m'en crois capable :
Je ne sais ce que c'est que trembler.

SGANARELLE

Détestable !

LA STATUE

Je t'ai dit, dès tantôt, que tu ne songeais pas
Que la mort chaque jour s'avançait à grands pas.
Au lieu d'y réfléchir tu retournes au crime,
Et t'ouvres à toute heure abîme sur abîme.
Après avoir en vain si longtemps attendu,
Le Ciel se lasse : prends, voilà ce qui t'est dû.

*La statue embrasse[2] Don Juan ; et, un moment après, tous les deux sont abîmés[3].*

DON JUAN

Je brûle, et c'est trop tard que mon âme interdite…
Ciel !

SGANARELLE

Il est englouti ! Je cours me rendre ermite.
L'exemple est étonnant[4] pour tous les scélérats ;
Malheur à qui le voit, et n'en profite pas !

Comédie mise en vers sur la prose de feu M. Molière,
acte V, scènes 4 à 6 (orthographe modernisée).

2. Prend dans ses bras.
3. Engloutis.
4. Sens fort au XVIIe siècle : effrayant, terrorisant.

## Une version majeure du mythe de Dom Juan

• Contrairement à la plupart des autres personnages de Molière, Dom Juan n'est pas une invention du dramaturge : issue d'une légende espagnole, l'histoire du séducteur impie avait déjà fait l'objet de plusieurs adaptations théâtrales, en Espagne, en Italie et en France. En 1665, Molière s'approprie ce sujet à la mode pour en faire le support d'une critique sociale autant que d'une célébration des pouvoirs du théâtre. La pièce est truffée d'allusions à des débats contemporains, depuis l'éloge bouffon du tabac dans la scène d'exposition jusqu'à la dénonciation de l'hypocrisie religieuse, en passant par la question de l'honneur aristocratique dont se réclament le père de Dom Juan, scandalisé par la conduite de son fils, et les frères d'Elvire qui en appellent au duel.

• Molière écarte certains éléments du mythe pour en créer de nouveaux. Il invente plusieurs personnages : le valet Sganarelle, bouffon poltron et fasciné par son maître, Elvire, l'épouse délaissée qui veut d'abord se venger, puis sauver Dom Juan, les frères de celle-ci, M. Dimanche le créancier abusé. Il accentue la duplicité du héros qui fait tour à tour rire et frémir le public, qui suscite l'indignation mais parfois aussi l'admiration, et qui, non content de provoquer la morale et la religion, décide de se convertir à la fausse dévotion. Dans l'acte V, Dom Juan devient ainsi un nouveau Tartuffe, le personnage que Molière avait mis en scène un an auparavant dans une pièce soumise à la censure de l'Église.

## Un héros subversif

• « Grand seigneur méchant homme », selon le portrait qu'en fait Sganarelle dès la scène d'exposition, Dom Juan incarne l'un de ces « esprits forts » ou libertins qui au XVIIe siècle revendiquent la liberté de penser et d'agir en dehors des dogmes religieux. « Je ne crois qu'en deux et deux sont quatre, et quatre et quatre sont huit » affirme Dom Juan à son valet qui l'interroge sur ses croyances (acte III, sc. 1). Bien qu'il ne se dise jamais explicitement athée, le héros de Molière manifeste ses doutes quant à l'existence de Dieu envers lequel il multiplie les défis. Séduire, puis abandonner une religieuse, tenter de faire jurer un mendiant en échange d'un louis d'or, souhaiter la mort de son père, ironiser face à la

statue funéraire d'un homme qu'il a tué, feindre de se convertir pour mieux poursuivre en douce ses agissements... : Dom Juan brave tous les interdits jusqu'à se confronter avec un certain courage à son destin tragique, figuré par la statue du Commandeur.

• L'ironie provocatrice du libertin sert aussi de révélateur des failles humaines ou sociales : Dom Juan ébranle les certitudes de ses interlocuteurs, s'amuse à les manipuler pour les « mener doucement » où il « a envie de (les) faire venir » comme il le dit à propos de ses conquêtes féminines (acte I, sc. 2). Il fait ressortir la lâche soumission de son valet, la bêtise des superstitions populaires, les contradictions de l'honneur aristocratique, l'embarras du bourgeois enrichi face au noble endetté, la crédulité de son père qui croit à son faux repentir, et l'imposture de ceux qui « se sont fait un bouclier de la religion et, sous cet habit respecté, ont la permission d'être les plus méchants hommes du monde ». En déréglant le jeu social, Dom Juan dévoile des vérités dérangeantes.

## Une célébration du théâtre

• Présentée comme une « comédie », la pièce en cinq actes et en prose mêle différents genres et registres théâtraux. La bouffonnerie, caractéristique du comique de la farce ou de la *commedia dell'arte*, alterne avec des scènes graves aux accents solennels ou tragiques. La comédie de caractère et de mœurs glisse vers le fantastique avec l'intervention du surnaturel. La représentation de la statue, puis, dans le dernier acte, du spectre et du châtiment divin, inscrit la pièce dans le genre alors à la mode du « théâtre à machines ». En plus de ces effets spectaculaires, *Dom Juan* se prête à une réflexion sur le théâtre autour de son héros inconstant et ambigu qui n'aime rien tant que jouer la comédie.

## Retour au texte

**1** • Les règles classiques d'unité de temps, de lieu et d'action sont-elles respectées dans *Dom Juan* ?

**2** • Quelles caractéristiques et quels types de personnages vous semblent justifier l'appellation de « comédie » donnée à la pièce ?

**3** • Quels personnages ou quels moments de la pièce vous paraissent relever des registres tragique et pathétique ?

**4** • À quel registre font appel les interventions du surnaturel dans les actes IV et V ?

## Interprétations

### Un « patchwork » de styles

*Comme le montrent les textes du dossier Résonances (p. 129 à 131),* Dom Juan *est une pièce à part dans le répertoire de Molière et dans le genre de la comédie classique, car elle semble mêler divers modèles de la tradition théâtrale et jouer sur des registres contrastés : ce caractère composite contribua autant au long discrédit de la pièce qu'à son succès aujourd'hui.*

**5** • En vous aidant des textes 1 (p. 129) et 2 (p. 130), illustrez par un exemple précis tiré de *Dom Juan* les emprunts à chacun des genres théâtraux suivants : tragi-comédie baroque, tragédie classique, farce, *commedia dell'arte*, pastorale, comédie de caractère, théâtre à machines.

**6** • À quoi tient, selon vous, la cohésion de l'œuvre pour le spectateur (voir textes 1 et 2) ?

### L'art de la dissonance

**7** • Recherchez dans les scènes suivantes : I, 3 ; III, 5 ; IV, 4 ; IV, 6 et V, 6 des répliques qui vous paraissent introduire une note comique au sein d'un épisode grave ou solennel. Quels effets ce contraste crée-t-il ?

**8** • Inversement, recherchez dans des scènes comiques (II, 4 ou IV, 3, par exemple) des éléments qui peuvent paraître grinçants ou cruels.

**9** • Dans quelle mesure ces formes d'ironie et de parodie des codes du théâtre traditionnel sont-elles en accord avec le caractère provocateur du héros ?

## Texte 1 • Christian Delmas, « Dom Juan *et le théâtre à machines* », 1985

*L'auteur de cet article montre que le genre du théâtre à machines, dans lequel s'inscrit* Dom Juan, *justifie en partie le caractère hybride de la pièce et son esthétique spectaculaire.*

Le théâtre à machines fournit aussi une clé pour rendre compte de la disparate apparente entre les tons sérieux et comique, les parlers et les genres multiples qu'il s'agisse de la farce, de la tragi-comédie espagnole, de la comédie de caractère, de la pastorale romanesque, de la tragédie même, mêlés ou juxtaposés dans *Dom Juan*. L'apport particulier de la *commedia dell'arte*, sans renier les ressources du contrepoint, est, par un décalage constant dans la transposition, d'imposer un traitement ludique aux ingrédients nobles dont elle fait sa substance. Dans *Dom Juan* s'impose à son exemple, à travers la diversité des styles, l'unité de la perspective ironique. Observateur de la comédie du monde, Dom Juan se joue en comédien consommé des naïfs Sganarelle ou Dimanche, mais aussi de Done Elvire, Dom Louis, Dom Carlos, dont il parasite les valeurs en les réduisant à des discours sans substance. Simultanément, sans perdre pour autant sa prestance et sa dignité, il est à son tour dévoilé comme un être de langage, dont les actes manqués et les dérobades devant contretemps et fâcheux entrent en dissonance avec ses déclarations de conquérant, un être de parade en représentation perpétuelle qui a besoin pour s'affirmer du regard d'autrui, de Sganarelle tout au moins, et de Dieu s'il existe. Il est dénoncé par sa propre attitude dénonciatrice, de même qu'à l'inverse Sganarelle en plaidant pour la bonne cause la discrédite par sa balourdise. Au haut comique de Dom Juan, [...] répond le personnage du bouffon, *gracioso* ou parfois, telles Elvire et sa parenté, héros de tragédie manqués. Or il entre dans le comportement de Sganarelle une part de jeu et comme d'humour qui s'accorde à la désinvolture de Dom Juan : dissonances et correspondances se résolvent dans l'unité d'une manière comique dont l'origine est à chercher une vingtaine d'années plus tôt dans le courant dit burlesque, qui fournit à Molière

l'instrument d'une adaptation à la comédie française de l'esprit ludique de la *commedia dell'arte.* Dans ce contexte, la nécessité dramatique de la Statue du Mort n'exclut pas une certaine joyeuseté dans son traitement spectaculaire, à grand renfort de culbutes, de voleries et de flammes d'arcanson[1].
La vocation du théâtre à machines est précisément de fondre des composants hétérogènes, issu qu'il est lui-même, comme le marque la diversité de ses appella tions, à la fois de la pastorale à tendance spectaculaire par ses prologues et ses dénouements *ex machina*, de la tragi-comédie romanesque aussi bien que de la tragédie, tout en se prévalant par ailleurs des éléments lyriques et spectaculaires de la tragédie grecque.

Christian Delmas, Mythologie et Mythe dans le théâtre français (1650-1676), Genève © Éditions Droz.

## Texte 2 • Pierre Murat, « *Un objet théâtral à identifier* », 2003

*Pierre Murat analyse l'alternance des genres et l'alliance du tragique et du comique au fil de* Dom Juan *en montrant comment cette diversité illustre les contradictions du héros.*

Si le premier acte est celui des aventures du séducteur voué à relancer son désir, plus sûrement que les avertissements bouffons de Sganarelle, la malédiction lancée par Elvire, héroïne racinienne, fait paraître Don Juan comme un monstre que seule la mort pourra abattre. Et déjà se juxtaposent la farce et le tragique. Le deuxième acte reprend la thématique du séducteur au niveau de la farce : quel contraste avec ses envolées lyriques ! L'Alexandre de l'amour en est réduit à des jeux de vilain et à de piètres artifices. Voilà, comme le note Guicharnaud, qui nous « empêche de prendre Don Juan au sérieux ». À l'acte III, celui des rencontres décisives, le voici égaré sur des chemins qui apparemment ne mènent nulle part. Mais, en ce contraste parfait avec la bouffonnerie dont vient de faire preuve le valet et en continuité parfaite avec son dernier sujet de conversation, Molière fait buter Don Juan sur le Pauvre comme sur un défi à relever. Le libertin débauché

1. Sorte de résine.

est devenu libertin libre-penseur et, par jeu, provocateur. La foi, l'honneur et la mort, tel est le sérieux d'un monde qui lui résiste. Il l'esquive en différant : hors ses désirs, l'avenir pour lui n'existe pas. Ce faisant, il prend pourtant deux rendez-vous avec la mort, par le duel auquel il s'engage et, tout aussitôt, grâce au souper auquel, via le poltron Sganarelle, il convie la statue. Et toujours le plus bas, la farce, en contact immédiat avec le sérieux le plus élevé. Comme s'il était deux façons de refuser ce dernier : l'indifférence voire l'ignorance désinvolte de Don Juan et le burlesque de son valet qui rend comique tout ce qu'il évoque ou tente. Acte de créanciers et défilé de fâcheux, l'acte IV hiérarchise les thèmes en les ponctuant des veules bouffonneries de Sganarelle : les visiteurs font ainsi se succéder la comédie puis la farce de l'argent (M. Dimanche), l'aristocratie cornélienne (le père), l'amour racinien (Elvire) et le surnaturel (la statue) en haussant progressivement le ton. Mais, jusque dans la scène finale, en contre-point au Ciel, le sarcasme de Don Juan et la couardise de Sganarelle. Le cinquième acte accomplit définitivement cette organisation : le cynique atteint « le comble des abominations », il pense triompher des hommes en étant sacrilège, mais sait-il seulement ce qu'est le sacré ? Nouveau jeu : des mensonges adressés aux paysannes, en passant par le déguisement du IIIe acte, Don Juan est parvenu au rôle de faux dévot, ultime comédie mais pas plus sérieuse à ses yeux que les précédentes : il a seulement étendu son registre de comédien abuseur universel et, en pendant avec sa tirade du premier acte nous le surprenons à rêver, avec le même lyrisme ivre de soi, à ses plaisirs futurs. Sa grandeur éventuelle tient à ce qu'il porte ostensiblement le masque et fait de façon si outrée l'hypocrite qu'il ne tient assurément pas plus à abuser Don Carlos qu'il ne l'a fait avec Elvire au premier acte : son mépris d'autrui est inchangé, son goût du jeu et son inconscience également. Ne serait-ce qu'un jeune fou imbu de soi dont personne ne peut arriver à rabattre la prétention ? Personne sauf un *deus ex machina*, soit un artifice de théâtre, seul capable de renvoyer le théâtreux au réel.

Analyses et réflexions sur Molière, « Dom Juan »,
ouvrage collectif, © Ellipses.

# Lecture transversale 2

## Quelle dynamique crée le tandem Dom Juan/Sganarelle ?

### Retour au texte

**1** • Sganarelle, interprété par Molière en 1665, est présent dans vingt-six scènes sur vingt-sept et prononce les premiers et derniers mots de la pièce : que suggère ce constat quant à l'importance du valet ?

**2** • Quels rôles Dom Juan impose-t-il à son valet dans les scènes I, 3 ; II, 2 ; III, 5 ; IV, 6 ; IV, 8 ?

**3** • Quels rôles Sganarelle s'efforce-t-il de jouer auprès de son maître dans les scènes I, 2 ; III, 1 ; IV, 1 ; V, 2, 4 et 5 ?

**4** • Dans les scènes I, 2 ; II, 4 et IV, 5, comment se manifeste la soumission de Sganarelle envers Dom Juan et quels en sont les effets comiques ?

### Interprétations

#### Un couple maître/valet original

*Par son nom même et ses pitreries, le personnage de Sganarelle correspond au type du valet bouffon, hérité de la comédie antique et codifié dans la* commedia dell'arte *italienne. Toutefois, Molière renouvelle la tradition en faisant de Dom Juan et de son serviteur un couple inséparable aux relations complexes*

**5** • Cherchez quatre ou cinq exemples de la bouffonnerie verbale et gestuelle de Sganarelle.

**6** • Comparez le personnage de Sganarelle à celui de Scapin dans le texte 1 extrait des *Fourberies de Scapin* (p. 133) et à Leporello dans le texte 2 extrait de *Don Giovanni* (p. 135).

#### Sganarelle : contradicteur ou double de Dom Juan ?

*Représentant des croyances populaires, Sganarelle manifeste à l'égard de son maître un mélange de fascination et de répulsion qui le conduit tantôt à réprouver, tantôt à cautionner ou même imiter le comportement de Dom Juan. Au-delà de ses effets comiques, cette relation ambiguë accentue la dimension polémique de la pièce.*

**7** • En vous référant à des passages précis, montrez que Sganarelle éprouve des sentiments contradictoires envers Dom Juan.

**8** • À quels moments de la pièce le valet semble-t-il vouloir singer son maître ? Quels effets crée ce mimétisme ?

**9** • Lisez le texte 3 (p. 136) et expliquez pourquoi le personnage de Sganarelle a pu contribuer au scandale causé par la pièce en 1665.

## Texte 1 • Molière, *Les Fourberies de Scapin*, 1671

*Issu de l'univers de la* commedia dell'arte, *Scapin est le type même du valet bouffon qui, par ses ruses, favorise les amours des jeunes maîtres contre la volonté tyrannique de leurs pères. Ici, Léandre apprend que son amante Zerbinette est menacée d'être enlevée et il implore l'aide de son valet à qui il vient pourtant, dans la scène précédente, de reprocher ses forfaits.*

LÉANDRE. – Ah ! mon pauvre Scapin ! j'implore ton secours.
SCAPIN, *passant devant lui avec un air fier*. – « Ah ! mon pauvre Scapin ! » je suis « mon pauvre Scapin » à cette heure qu'on a besoin de moi.
LÉANDRE. – Va, je te pardonne tout ce que tu viens de me dire, et pis encore, si tu me l'as fait.
SCAPIN. – Non, non, ne me pardonnez rien. Passez-moi votre épée au travers du corps. Je serai ravi que vous me tuiez.
LÉANDRE. – Non. Je te conjure plutôt de me donner la vie en servant mon amour.
SCAPIN. – Point, point, vous ferez mieux de me tuer.
LÉANDRE. – Tu m'es trop précieux ; et je te prie de vouloir employer pour moi ce génie[1] admirable qui vient à bout de toute chose.
SCAPIN. – Non, tuez-moi, vous dis-je.
LÉANDRE. – Ah ! de grâce, ne songe plus à tout cela, et pense à me donner le secours que je te demande.
OCTAVE. – Scapin, il faut faire quelque chose pour lui.
SCAPIN. – Le moyen, après une avanie[2] de la sorte ?
LÉANDRE. – Je te conjure d'oublier mon emportement et de me prêter ton adresse.
OCTAVE. – Je joins mes prières aux siennes.
SCAPIN. – J'ai cette insulte-là sur le cœur.
OCTAVE. – Il faut quitter ton ressentiment.
LÉANDRE. – Voudrais-tu m'abandonner, Scapin, dans la cruelle extrémité où se voit mon amour ?

1. Talent naturel.
2. Traitement humiliant.

SCAPIN. – Me venir faire à l'improviste un affront comme celui-là !
LÉANDRE. – J'ai tort, je le confesse.
SCAPIN. – Me traiter de coquin, de fripon, de pendard, d'infâme !
LÉANDRE. – J'en ai tous les regrets du monde.
SCAPIN. – Me vouloir passer son épée au travers du corps !
LÉANDRE. – Je t'en demande pardon de tout mon cœur ; et, s'il ne tient qu'à me jeter à tes genoux, tu m'y vois, Scapin, pour te conjurer encore une fois de ne me point abandonner.
OCTAVE. – Ah ! ma foi, Scapin, il se faut ren-dre à cela.
SCAPIN. – Levez-vous. Une autre fois, ne soyez point si prompt.
LÉANDRE. – Me promets-tu de travailler pour moi ?
SCAPIN. – On y songera.
LÉANDRE. – Mais tu sais que le temps presse !
SCAPIN. – Ne vous mettez pas en peine. Combien est-ce qu'il vous faut ?
LÉANDRE. – Cinq cents écus[3].
SCAPIN. – Et à vous ?
OCTAVE. – Deux cents pistoles[4].
SCAPIN. – Je veux tirer cet argent de vos pères[5]. *(À Octave.)* Pour ce qui est du vôtre, la machine est déjà toute trouvée. *(À Léandre.)* Et quant au vôtre, bien qu'avare au dernier degré, il y faudra moins de façons encore ; car vous savez que, pour l'esprit, il n'en a pas, grâces à Dieu, grande provision, et je le livre[6] pour une espèce d'homme à qui l'on fera toujours croire tout ce que l'on voudra. Cela ne vous offense point, il ne tombe entre lui et vous aucun soupçon de ressemblance… Mais j'aperçois venir le père d'Octave. Commençons par lui, puisqu'il se présente. Allez-vous-en tous deux. *(À Octave.)* Et vous, avertissez votre Sylvestre de venir vite jouer son rôle.

Acte II, scène 4.

3. Pièce de monnaie valant trois livres.
4. Monnaie de compte correspondant à 10 livres.
5. Molière imite ici le dramaturge latin Térence : *Phormion* (vers 556-558).
6. Je le donne pour, je le juge.

## Texte 2 • Lorenzo Da Ponte, *Don Giovanni*, 1787

*L'opéra de Mozart, dont les paroles sont écrites par le librettiste italien Da Ponte, s'inspire davantage de la pièce de Tirso de Molina,* L'Abuseur de Séville, *que du* Dom Juan *de Molière. Cependant, le valet de Don Giovanni, nommé Leporello, figure comme Sganarelle une sorte de double burlesque de son maître libertin envers lequel il éprouve un mélange de réprobation et d'admiration.*

**Scène 4**
*Une rue au petit jour. Don Juan et Leporello.*

**Récitatif**

DON JUAN
Allons, hâte-toi... Que veux-tu ?

LEPORELLO
L'affaire dont il s'agit
Est importante.

DON JUAN
Je te crois.

LEPORELLO
Importantissime.

DON JUAN
C'est mieux encore : parle donc.

LEPORELLO
Jurez-moi
De ne pas vous mettre en colère.

DON JUAN
Je le jure sur mon honneur,
Pourvu que tu ne dises mot du Commandeur.

LEPORELLO
Sommes-nous seuls ?

DON JUAN
Je ne vois personne.

LEPORELLO
Nul ne nous entend ?...

DON JUAN
Allons !

LEPORELLO
Je peux donc
Vous dire librement...

DON JUAN
Oui !

LEPORELLO
Donc, s'il en est ainsi :
*(à l'oreille de Do Juan, mais à haute voix)*
Cher monsieur mon maître,

La vie que vous menez est digne d'un coquin !

DON JUAN
Impudent ! c'est de cette manière...

LEPORELLO
Votre serment !...

DON JUAN
Il n'est pas de serment... Silence, ou je...

LEPORELLO
Je ne parle plus, mon maître, je ne souffle mot.

DON JUAN
Ainsi nous pourrons être amis. Mais dis-moi :
Sais-tu la raison de ma présence ici ?

Extrait de l'acte I, scène 4,
traduit de l'italien par Michel Orcel,


## Texte 3 • Rochemont, *Observations sur une comédie de Molière intitulée* Le Festin de Pierre, 1665

*Ce pamphlet publié en avril 1665 joua un rôle décisif dans la polémique autour de* Dom Juan. *Son auteur, un avocat en parlement, condamne violemment l'impiété de la pièce, qu'il juge renforcée par le couple du maître et du valet.*

Il y a quatre sortes d'impies qui combattent la Divinité : les uns déclarés, qui attaquent hautement la majesté de Dieu, avec le blasphème dans la bouche ; les autres cachés, qui l'adorent en apparence et qui le nient dans le fond du cœur ; il y en a qui croient un Dieu par manière d'acquit, et qui, le faisant ou aveugle ou impuissant, ne le craignent pas ; les derniers enfin, plus dangereux que tous les autres, ne défendent la religion que pour la détruire ou en affaiblissant malicieusement les preuves ou en ravalant adroitement la dignité de ses mystères. Ce sont ces quatre sortes d'impiétés que Molière a étalées dans sa pièce et qu'il a partagées entre le maître et le valet. Le maître est athée et hypocrite, et le valet est libertin et malicieux. L'athée se met au-dessus de toutes choses et ne croit point de Dieu ; l'hypocrite garde les apparences et au fond il ne croit rien. Le libertin a quelque sentiment de Dieu, mais il n'a point de respect pour ses ordres ni de crainte pour ses foudres ; et le malicieux raisonne faiblement et traite avec bassesse et en ridicule les choses saintes. Voilà ce qui compose la pièce de Molière. Le maître et le valet jouent la Divinité différemment : le maître attaque avec audace, et le valet défend avec faiblesse ; le maître se moque du Ciel, et le valet se rit du foudre qui le rend redoutable ; le maître porte son insolence jusqu'au trône de Dieu, et le valet donne du nez en terre et devient camus avec son raisonnement ; le maître ne croit rien, et le valet ne croit que le Moine bourru. Et Molière ne peut parer au juste reproche qu'on lui peut faire d'avoir mis la défense de la religion dans la bouche d'un valet impudent, d'avoir exposé la foi à la risée publique, et donné à tous ses auditeurs des idées du libertinage et de l'athéisme, sans avoir eu soin d'en effacer les impressions. Et où a-t-il trouvé qu'il fût permis de mêler les choses saintes avec les profanes, de confondre la créance des mystères avec celle du Moine bourru, de parler de Dieu en bouffonnant et de faire une farce de la religion ? Il devait pour le moins susciter quelque acteur pour soutenir la cause de Dieu et défendre sérieusement ses intérêts. Il fallait réprimer l'insolence du maître et du valet et réparer l'outrage qu'ils faisaient à la majesté divine ; il fallait établir par de solides raisons les vérités qu'il décrédite par des railleries ; il fallait étouffer les mouvements d'impiété que son athée fait naître dans les esprits.

# Lecture transversale 3

## Séduction ou subversion : qu'est-ce qui fait courir Dom Juan ?

### Retour au texte

**1** • Dans le portrait initial que Sganarelle fait de son maître (I, 1), quelles expressions soulignent le double caractère séducteur et provocateur du héros ?

**2** • Quels obstacles semblent attiser le désir de Dom Juan envers les personnages d'Elvire, de la jeune fiancée (évoquée dans la scène 2 de l'acte I) et de Charlotte ?

### Interprétations

#### Un séducteur en paroles plus qu'en actions

*Bien que la séduction de multiples femmes soit l'un des traits invariants du mythe de Don Juan, le héros de Molière ne saurait se réduire à ce qu'on appelle communément un « don juan », un insatiable coureur de jupons. Au contraire, la pièce semble ironiquement mettre en scène les déroutes plus que les succès du libertin en matière de conquêtes féminines.*

**3** • Quels écarts peut-on observer entre la manière dont Dom Juan séduit Charlotte (II, 2) et l'art de la conquête amoureuse exposée dans sa longue tirade de l'acte I, scène 2 ?

**4** • Peut-on dire que les personnages féminins de la pièce mettent le séducteur en échec ? Pourquoi ?

**5** • Comparez le héros de Molière aux personnages de séducteurs présentés dans les textes 1 et 2 (p. 139 à 141) et dégagez, à travers ces figures de libertins, les différents buts de la séduction.

#### Des défis subversifs

*Au-delà de son apparence de séducteur diabolique, Dom Juan incarne un désir de subversion des codes sociaux et des valeurs sacrées qui le conduit à multiplier les défis et à manifester une forme de la démesure que les Grecs anciens appelaient l'*hybris*, le « péché » d'orgueil.*

**6** • Quelles valeurs morales et sociales transgresse le héros ? Lisez le texte 3 (p. 142).

**7** • Dans quelle mesure peut-on dire que Dom Juan cherche aussi à « séduire » des personnages masculins, au sens étymologique du verbe (en latin, *seducere* signifie « tirer vers soi », « séparer ») ?

**8** • Comment le metteur en scène Jacques Lassalle (texte 3, p. 142) lie-t-il les deux aspects du libertinage du héros ? Qu'est-ce qui, selon lui, fait courir Dom Juan ?

## Texte 1 • Lorenzo Da Ponte, *Don Giovanni*, 1787

*L'air dit « du catalogue » est sans doute le plus fameux de l'opéra de Mozart et Da Ponte (voir aussi l'autre texte extrait de* Don Giovanni, *p. 135) : Leporello, le valet de Don Giovanni, énumère avec jubilation la liste des conquêtes féminines de son maître.*

DONNA ELVIRE
Le scélérat
M'a trompée, m'a trahie...

LEPORELLO
Eh, consolez-vous :
Vous n'êtes point, ne fûtes et ne serez
Ni la première ni l'ultime. Regardez donc
Ce livre qui n'est pas mince : il est rempli
Du nom de ses maîtresses ;
Chaque hameau, chaque bourg, chaque pays
Est le témoin de ses galantes prouesses.

**N° 4. – Air**
Jolie dame, ceci est le catalogue
Des beautés qu'a séduites mon maître ;
Catalogue dressé par moi-même :
Observez, et lisez avec moi.

Italie : six cents et quarante ;
Allemagne : deux cent trente et une ;
Cent en France ; en Turquie, bien nonante ;
Mais l'Espagne : déjà mille et trois.
Il y a là des paysannes,
Des soubrettes, des bourgeoises,
Des baronnes, des comtesses,

Des marquises, des princesses,
Et des femmes de tout âge,
Toute forme, tout état.

Chez la blonde, il a l'usage
De louer la gentillesse ;
Dans la brune, la constance ;
Dans la pâle, la tendresse.

L'hiver, c'est la grassouillette ;
Et l'été, la maigrichonne ;
La grande est majestueuse,
La menue toujours mignonne.

Il conquiert les plus âgées
Par plaisir de les inscrire ;
Mais sa passion dominante,
C'est les jeunes débutantes.

Il se fiche qu'elles soient riches,
Qu'elles soient belles ou laiderons ;
Tant qu'elles portent des jupons,
Vous savez ce qu'il en fait.

*(Il s'en va.)*

Extrait de l'acte I, scène 5, traduit de l'italien par Michel Orcel, © GF-Flammarion, 1994.

## Texte 2 • Nikolaus Lenau, *Don Juan*, 1844

*Né en Hongrie en 1802, Lenau est l'un des poètes les plus représentatifs du romantisme allemand. Il a proposé une version très originale du mythe de Don Juan dans un « poème dramatique » resté inachevé et publié après sa mort. Le séducteur mythique est exalté comme un héros rebelle, incarnation de la liberté de l'instinct contre les entraves sociales, morales ou religieuses.*

DON JUAN. – Ce cercle enchanté, immensément grand, de beautés féminines aux charmes multiples, je voudrais le parcourir dans le tumulte de la jouissance, et sur les lèvres de la dernière mourir d'un baiser. Ami, je voudrais traverser au vol tous les espaces où s'épanouit une belle femme, ployer le genou devant chacune et vaincre, ne fût-ce que quelques instants. Eh oui ! je pars en guerre même contre le temps. Si j'aperçois quelque enfant délicieuse, il me faut gronder contre le sort de ce qu'elle et moi, nous ne sommes pas du même âge. Je me fais l'effet d'un vieillard jusqu'à ce que sa fleur soit éclose. Et si je vois quelque imposante matrone, dont des vieux encore tout ravis redisent : « Elle était charmante jadis, de toute beauté reine ! », je voudrais alors vivre aux temps passés. Je voudrais confondre l'espace et le temps, car la passion est effrénée et exubérante. C'est parce qu'elle est dévorée de la soif de l'éternel que vous la voyez si fugace et si passagère. Parfois aussi je me sens d'humeur étrange, comme si ce qui me parcourt les veines, pris à quelque domaine étranger et supérieur, était quelque esprit égaré et perdu dans mon sang, un batelier voguant sur le flot sanguin et ne restant nulle part en place, et qui jamais ne parvient au repos de l'atterrissage définitif, parce que sa rame lui est échappée dans le tourbillon. Puis de nouveau il m'ensorcelle le sang dont chaque goutte palpite de fureur enivrée. Cet esprit se sent, lui qui veut tout embrasser, comme emprisonné et délaissé dans l'individuel. C'est lui qui me veut éternellement altéré et qui de femme en femme me chasse funestement. La plus belle m'enchante sans longue durée, la source de charmes la plus profonde, bientôt épuisée, me renvoie assoiffé vers des voluptés nouvelles ; la possession produit en moi le vide, une tristesse morne.

Traduit de l'allemand par Walter Thomas,
dans *Don Juan, mythe littéraire et musical*,
présenté par Jean Massin,

## Texte 3 • Jacques Lassalle, *Le Pied de la lettre*, Programme de *Dom Juan*, Comédie-Française, 1993

*Jacques Lassalle a mis en scène* Dom Juan *en 1993 dans un spectacle d'abord présenté au festival d'Avignon puis à la Comédie-Française. Voici comment il présente son interprétation de la pièce dans le programme distribué aux spectateurs.*

D'acte en acte, de rencontres en rencontres, Don Juan se déploie, radicalise son discours et ses actes, assume jusqu'à la mort, en toute lucidité, les conséquences ultimes ses dérèglements. L'œuvre progressivement change de visée : de critique sociale et politique, elle en vient inexorablement aux apostrophes définitives : le Ciel existe-t-il ? Et si d'aventure il existe, que faire de son silence ? Don Juan pose un ultimatum. Et l'usage qu'il fait des réponses, obtenues ou pas, engendre le mythe. Aucune préméditation repérable dans un pareil processus. Il en va souvent ainsi avec Molière. L'acteur, de proche en proche, par la seule nécessité et le seul pouvoir de ses incarnations scéniques, démultiplie l'écrivain, libère le poète, violente le philosophe et l'oppose à lui-même. Molière ne fait confiance qu'au théâtre. Il en accepte, à chaque étape, tous les possibles, donc tous les risques. Il se saisit des formes, des situations que lui offrent les étapes obligées du canevas d'origine, et les remplit, jour après jour, de ce qui hante sa vie d'homme, engagé corps et biens dans son siècle.

De toutes les créatures moliéresques, Don Juan est celle qui va le plus loin dans l'absolue dépendance à ses désirs. Deux certitudes le déterminent. La première : « deux et deux sont quatre, je ne crois que ce que je vois, et du même coup je m'interdis à moi-même, j'exècre chez les autres, toute croyance révélée. » Voilà pour l'athée. La seconde, en corollaire : « je ne suis, je ne veux être, que l'instant que je vis. » Voilà pour le jouisseur. J'ai pu penser longtemps que la question des femmes, du libertinage des sens dans le *Dom Juan* de Molière n'était, à la différence de celui de Mozart et de Da Ponte, que subsidiaire et s'effaçait bien vite devant l'autre libertinage, celui des idées. Il n'en est rien. Il faut comprendre que Dom Juan, en tout cas jusqu'à la fin du troisième acte, jusqu'à sa première rencontre avec la statue du Commandeur, ne soit rien d'autre que la suite de ses désirs. S'il les renonce aussitôt qu'assouvis, est-ce par ennui, inaptitude à aimer, besoin de détruire, ou héroïque discipline une fois pour toutes adoptée quel qu'en soit le prix ? Peu importe, en définitive. Seul compte le formidable dispositif de subversion généralisée que sa quête de possession met en place. Il n'est pas de valeurs – famille, pouvoirs, honneur de caste, religion – qui puissent résister. Don Juan est possédé autant qu'il possède. Vertigineux tourniquet.

Fuite en avant, parcours linéaire, *road movie* avant la lettre ? Je l'ai cru longtemps. Je me trompais. Don Juan court, toujours plus vite, vers le châtiment annoncé. Mais sa course est circulaire. Même si cette journée des trente-six heures autorisées par Aristote n'est que la contraction d'une vie entière de l'aurore à la nuit, de la jeunesse à la maturité, jusqu'à la mort choisie, pour ne pas dire désirée, la pièce revendique à bon droit l'unité de temps. Elle peut aussi revendiquer l'unité de lieu. Car il n'est qu'un seul espace auquel soit ramené Don Juan, quels que soient ses efforts pour s'en arracher : c'est la ville où il s'est rendu coupable de la mort du Commandeur. Ville sicilienne, espagnole, française ? méditerranéenne en tout cas. Ce Don Juan est né latin, l'Europe du Nord ne le connaît pas encore. Le voyage de Don Juan n'est que retour incessant sur les lieux du crime. Au centre du cercle enchanté, un tombeau, véritable champ magnétique de l'œuvre.

## Retour au texte

**1** • Par qui et dans quel sens sont employés les mots « libertin » et « esprits forts » (I, 2, et III, 5) ?

**2** • Sganarelle qualifie son maître de « grand seigneur méchant homme » (I, 1) : la pièce illustre-t-elle à part égale ces deux aspects contradictoires du héros ?

**3** • Quels épisodes manifestent le mieux le double jeu de Dom Juan et son goût pour l'imposture ?

**4** • Quels effets produisent les multiples mises en garde prononcées contre le libertin au fil de la pièce ?

**5** • Le dénouement marque-t-il l'échec ou le défi ultime de Dom Juan ?

## Interprétations

### Un libertin de mœurs et de pensée

*Par son inconstance amoureuse et ses défis envers la société et le sacré, Dom Juan illustre bien les deux acceptions du mot libertin au XVIIe siècle, mais n'est sans doute pas pour autant le porte-parole de son auteur, contrairement au jugement des détracteurs contemporains de Molière.*

**6** • En vous reportant au texte 1 (p. 145), expliquez comment et pourquoi les deux formes de libertinage (liberté des mœurs et libre-pensée) furent liées au XVIIe siècle.

**7** • Quels éléments de la pièce montrent que Dom Juan cherche toujours à satisfaire ses désirs personnels ?

**8** • Par quelles formules et quelles attitudes Dom Juan revendique-t-il des conceptions matérialistes ? Se dit-il ouvertement athée ?

### L'ambiguïté du dramaturge et de sa pièce

*En jouant sur la dualité et la duplicité du maître et du valet, Molière semble vouloir maintenir l'équivoque de son jugement sur le libertinage.*

**9** • Si Dom Juan incarne l'athéisme ou au moins le scepticisme religieux, tandis que Sganarelle représente les croyances communes, lequel des deux personnages paraît le plus convaincant ?

**10** • Quels arguments principaux les auteurs des textes 2 et 3 avancent-ils (p. 146 à 148) pour suggérer que Molière condamne l'imposture bien plus que le libertinage de Dom Juan ?

**11** • Quels sont les différents choix imaginables de représentation scénique du surnaturel et du châtiment de Dom Juan ? Montrez qu'en fonction de ces choix, le dénouement de la pièce n'a pas le même sens (voir p. 149).

## Texte 1 • Jean Roudaut, *Les libertins au XVIIᵉ siècle : « Vivre comme des dieux »*, 1998

*Pascal montre comment l'homme, pris entre deux infinis, l'infiniment grand et l'infiniment petit, fait l'expérience du tragique de sa condition.*

Contrevenir aux règles morales et politiques d'une société rigoriste impose de ruser avec l'expression et de porter un masque. Dom Juan débite à Elvire, ou à M. Dimanche, le langage convenu. Descartes s'avance en se protégeant : « Larvatus prodeo », proclame-t-il dans sa devise. Le contrôle idéologique de la société, qui se met progressivement en place, aboutira, à la fin du règne de Louis XIV, au triomphe de l'ordre moral. Mais au début du siècle pendant l'exil, à Blois, de Marie de Médicis, les Princes s'impatientent ; les contestataires politiques frondent ouvertement ; cependant les libertins philosophes doivent, pour survivre, se montrer discrets. Étymologiquement, le mot « libertin » désigne un être affranchi, rendu libre. Au xvie siècle, le terme s'applique à celui qui se dégage de la loi religieuse ; au xviie siècle à celui qui a une conduite déréglée. Une critique exercée librement sur les dogmes entraîne une contestation du pouvoir politique, et de la hiérarchie sociale, dans un État où le père de famille tient son pouvoir du roi, qui le tient de Dieu. La structure pyramidale de la société fait qu'il suffit qu'un grand seigneur soit « méchant homme », c'est-à-dire contestataire, pour que l'édifice soit ébranlé. S'ensuivent, pour celui qui a lésé les mœurs, le pouvoir et la religion, un devoir de contrition, un acte de repentance, un exorcisme du malin, une purification par le feu. L'esprit de liberté étant dangereux pour l'ordre établi, il fut d'usage d'accuser le libertin d'esprit de libertinage des mœurs. Ce n'était pas toujours faux ; ce n'était pas essentiel. S'il était parfois difficile de préciser en quoi une pensée subtile était pernicieuse, il était toujours commode de faire condamner un libertin pour un « crime » de sodomie. Dans ses attaques contre les « beaux esprits » (qui, par souci d'originalité, glissent de la malice à la fausseté), le Père Garasse évite d'être précis sur leurs fautes pour ne pas enseigner le vice, ni faire « rougir la blancheur du papier ».

On connaît, en partie, la pensée des libertins par ceux qui furent leurs détracteurs. Également par les déclarations de combat, ou les pamphlets qui circulaient anonymement, et discrètement. Enfin, par les romans, les essais où l'ironie et la dénégation jouent un rôle de protection. L'image qui, par ces textes, nous est donnée des libertins, les uns blasphémateurs et belliqueux, les autres philosophes et épicuriens, est de qualité diverse. Les uns cèdent à une violence combattante, ou à un didactisme lassant (comme *Les Quatrains du déiste*) ; les autres parlent avec grâce de leur indifférence voluptueuse.



## Texte 2 • Christine Vulliard, « Dom Juan : *pièce libertine et baroque ?* », 2003

*Après avoir analysé les différentes formes de libertinage moral, social et religieux exposées dans* Dom Juan, *l'auteur de cet article s'interroge sur la position de Molière à ce sujet.*

Même s'il ne fait aucun doute que le libertinage le fascine, comme il a sans doute fasciné nombre de ses contemporains, on ne peut prétendre que *Dom Juan* soit une apologie du libertinage. Tout le dénouement s'oppose à cette conclusion puisque la pièce donne à voir le libertin vaincu et damné ainsi que la survie de Sganarelle. En même temps il est clair que Don Juan n'est vaincu que par Dieu seul – les hommes n'ont rien pu contre son libertinage – et, surtout, par son propre refus de se repentir. Si l'on veut tenter de définir la position de Molière, on peut souligner que d'une part, il estime que la religion est une affaire de foi, de conviction profonde et non de démonstration (d'où les échecs de Sganarelle dans ses raisonnements), et que, d'autre part, il croit, comme les Jésuites, qu'un homme peut être sauvé si, à l'ultime moment, il se repent avec sincérité (ce que feront maints libertins), d'où les multiples avertissements et émissaires qui rappellent à Don Juan la nécessité de se convertir. C'est son endurcissement dans la faute, dans le libertinage, qui

le condamne, non son libertinage lui-même. Cela tient aussi, comme le souligne Robert Horville dans son étude *Dom Juan de Molière*, à la valeur supérieure que représente, chez Molière, la sincérité, jusque dans les croyances religieuses. Cela explique que les deux personnages centraux soient vaincus : Sganarelle par Don Juan, parce que ses convictions sont « préfabriquées » – il semble réciter par cœur un catéchisme populaire –, et Don Juan par Dieu parce que son enfermement dans une pensée figée et systématique – qui va d'ailleurs à l'encontre du second libertinage – l'empêche de s'ouvrir à une voix/voie différente et l'amène à nier radicalement les exigences de la vie en société. C'est ce qui explique aussi que le meilleur adversaire de Don Juan soit le Pauvre dont la foi profonde et sincère, désintéressée, lui permet de surmonter la double tentation diabolique et dépasse l'entendement de Don Juan qui se retrouve mis en échec, ce dont il est bien conscient comme le traduisent à la fois sa pirouette verbale et, surtout, – pirouette gestuelle –, son refus de garder par-devers lui la pièce d'or qui a été l'instrument de la tentation et dont la conservation serait le signe tangible qu'il a échoué.
Ainsi, peut-on bien voir en *Dom Juan* une suite thématique et pas seulement chronologique de *Tartuffe* : si Molière, qui, dans toute son œuvre, suggère qu'il faut choisir la juste mesure et que chacun, tout en restant fidèle à son être authentique, doit aussi prendre en compte les exigences de la collectivité, y condamne le libertinage, c'est son systématisme qu'il lui reproche ainsi que ses excès, mais il condamne tout autant ceux dont la croyance est purement conventionnelle, ou intéressée, ou hypocrite, pour exiger une adhésion profonde et authentique, une vraie foi.

*Analyses et réflexions sur Molière,* « Dom Juan »,
ouvrage collectif, © Ellipses.

## Texte 3 • Antony McKenna, *Molière dramaturge libertin,* 2005

*Cet ouvrage d'un universitaire réfute l'idée selon laquelle Dom Juan incarnerait le libertinage de Molière pour démontrer que ce personnage est, à l'instar de Tartuffe, un imposteur, un « faux libertin ».*

Or, précisément, le personnage de Dom Juan dans la pièce de Molière ne correspond pas à la figure mythique du séducteur satanique et on s'interdit de saisir l'intention du dramaturge, si on le situe dans la lignée des précurseurs, Tirso de Molina, Dorimon et Villiers. En revanche, le Dom Juan de Molière répond parfaitement au portrait du « faux libertin » que s'acharnaient à peindre les apologistes : son libertinage est une imposture en ce sens qu'il est superficiel et qu'il sert de masque à ses passions impatientes et égoïstes : « il n'y a rien qui puisse arrêter l'impétuosité de mes désirs » (acte I, sc. 2), « j'ai une pente naturelle à me laisser aller à tout ce qui m'attire » (acte III, sc. 5). Son impénitence aussi fait de lui le type même du libertin dénoncé par les apologistes : « Oui, ma foi ! il faut s'amender ; encore vingt ou trente ans de cette vie-ci, et puis nous songerons à nous » (acte IV, sc. 7), sarcasme auquel répondent, selon le modèle apologétique précisément, l'endurcissement de la fin : « Non, non, il ne sera pas dit, quoi qu'il arrive, que je sois capable de me repentir » (acte V, sc. 5), et le défi insensé qu'il lance face à la menace de l'enfer : « Non, non, rien n'est capable de m'imprimer de la terreur » *(ibid.)*. Bossuet venait de consacrer un sermon célèbre de son Carême du Louvre (1662) à l'impénitence du « mauvais riche », enchaîné « par ses plaisirs, par ses empressements, par sa dureté » et qui « arrive enfin, le malheureux ! à la plus grande séparation sans détachement ; à la plus grande affaire sans loisir ; à la plus grande misère sans assistance[1] ». L'impénitence vigoureuse de Dom Juan fait sentir l'enchaînement des plaisirs et exprime parfaitement la mauvaise foi sous-jacente, par définition, à toute profession de libertinage aux yeux des apologistes.

Or, ce Dom Juan, libertin imposteur, répond parfaitement aux exigences de la conjoncture créée par la censure de *Tartuffe*. Loin de défier les censeurs dévots, Molière pense se dédouaner à leurs yeux : ils lui reprochent de s'attaquer à la vraie dévotion sous prétexte de s'en prendre à l'hypocrisie ; il fait donc la satire du faux libertinage, démontrant ainsi que sa cible n'est pas la dévotion sincère mais l'imposture sous toutes ses espèces.



1. J.-B. Bossuet, *Sermons. Le Carême du Louvre*, « Sermon du mauvais riche ».

# Analyse d'images

## Comment représenter le châtiment divin ?

Dossier central couleur images I à IV

II

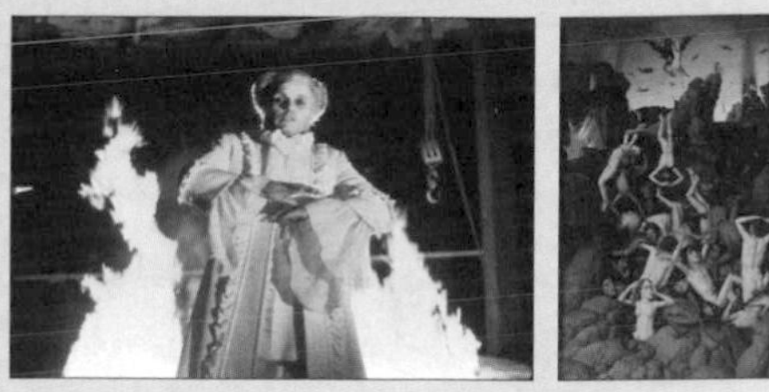

IV

### Retour aux documents

1 • Décrivez brièvement ce que représente chaque document.

2 • Indiquez celui qui, d'emblée, attire le plus votre regard en justifiant votre choix.

### Interprétations

#### Trois représentations du châtiment de Dom Juan

3 • Comparez les représentations de la statue du Commandeur dans les documents I et II (pour ce dernier document, lisez au préalable la fin de l'interview de Daniel Mesguich, p. 177) ; en quoi s'opposent-elles ?

4 • Quelles valeurs symboliques ont, selon vous, les costumes et les gestes des comédiens interprétant le héros dans les documents I et III ?

5 • Comparez la façon dont est suggérée la damnation de Dom Juan sur la couverture et dans les trois premiers documents.

#### Comparaison avec le tableau de Bouts (document 4)

6 • Par quels moyens le peintre flamand a-t-il représenté les motifs du gouffre, de la torture et du chaos qui connotent traditionnellement l'Enfer chrétien ? Quels effets, selon vous, cherchait à produire sur le public de l'époque une telle représentation ? Comment la recevons-nous aujourd'hui ?

7 • Quels liens peut-on établir entre ce tableau et les croyances ou les peurs exprimées par Sganarelle dans la pièce de Molière ?

### Et vous ?

Si vous étiez scénographe (chargé(e) des décors et de la mise en scène) ou peintre, comment choisiriez-vous de représenter le châtiment surnaturel de Dom Juan ? Donnez votre proposition sous forme d'un dessin ou d'un texte descriptif.

# Vers l'écrit du bac

## Père et fils sur la scène du théâtre classique

▶ **Objet d'étude : le théâtre, texte et représentation**

### Corpus complémentaire

#### Texte A – Pierre Corneille, *Le Cid* (1637), acte I, sc. 5

*Le début de la pièce montre l'affrontement de deux grands aristocrates espagnols : Don Gomès a giflé Don Diègue parce que celui-ci a obtenu le poste convoité de précepteur du prince. Trop âgé pour défendre lui-même son honneur, Don Diègue va ici demander à son fils Rodrigue de venger cet affront en provoquant en duel Don Gomès. Or, Rodrigue aime Chimène, la fille de Don Gomès, et s'apprêtait à l'épouser.*

DON DIÈGUE
Rodrigue, as-tu du cœur[1] ?

DON RODRIGUE
Tout autre que mon père
L'éprouverait sur l'heure[2].

DON DIÈGUE
Agréable colère !
Digne ressentiment à ma douleur bien doux !
Je reconnais mon sang à ce noble courroux[3] ;
Ma jeunesse revit en cette ardeur si prompte.
Viens, mon fils, viens, mon sang, viens réparer ma honte ;
Viens me venger.

DON RODRIGUE
De quoi ?

1. Courage. – 2. Immédiatement. – 3. Colère. – 4. Gifle.

DON DIÈGUE

D'un affront si cruel,
Qu'à l'honneur de tous deux il porte un coup mortel :
D'un soufflet[4]. L'insolent en eût perdu la vie ;
Mais mon âge a trompé ma généreuse envie[5] ;
Et ce fer que mon bras ne peut plus soutenir,
Je le remets au tien pour venger et punir.
Va contre un arrogant éprouver ton courage :
Ce n'est que dans le sang qu'on lave un tel outrage ;
Meurs, ou tue. Au surplus, pour ne te point flatter[6],
Je te donne à combattre un homme à redouter ;
Je l'ai vu, tout couvert de sang et de poussière,
Porter partout l'effroi dans une armée entière.
J'ai vu par sa valeur cent escadrons rompus ;
Et pour t'en dire encor quelque chose de plus,
Plus que brave soldat, plus que grand capitaine,
C'est ...

DON RODRIGUE

De grâce, achevez.

DON DIÈGUE

Le père de Chimène.

DON RODRIGUE

Le ...

DON DIÈGUE

Ne réplique point, je connais ton amour,
Mais qui peut vivre infâme est indigne du jour ;
Plus l'offenseur est cher, et plus grande est l'offense.
Enfin tu sais l'affront, et tu tiens la vengeance :

5. Ma noble intention. – 6. Pour ne rien te cacher.

Je ne te dis plus rien. Venge-moi, venge-toi ;
Montre-toi digne fils d'un père tel que moi.
Accablé des malheurs où le destin me range,
Je vais les déplorer. Va, cours, vole, et nous venge.

**Texte B – Molière, *Le Tartuffe ou l'Imposteur* (1664), extrait de l'acte III, sc. 6**

*Tartuffe est un imposteur qui se fait passer pour un austère dévot. Il a gagné la confiance aveugle d'un riche bourgeois, Orgon, dont il cherche secrètement à séduire l'épouse, Elmire, et à s'approprier les biens. Le fils d'Orgon, Damis, vient d'apprendre à son père qu'il a surpris Tartuffe en train de tenir des propos galants à Elmire, mais Orgon refuse de le croire.*

TARTUFFE
Ah ! laissez-le parler : vous l'accusez à tort,
Et vous ferez bien mieux de croire à son rapport[1].
Pourquoi, sur un tel fait, m'être si favorable ?
Savez-vous, après tout, de quoi je suis capable ?
Vous fiez-vous, mon frère, à mon extérieur ?
Et pour tout ce qu'on voit[2], me croyez-vous meilleur ?
Non, non : vous vous laissez tromper à l'apparence,
Et je ne suis rien moins, hélas! que ce qu'on pense ;
Tout le monde me prend pour un homme de bien ;
Mais la vérité pure est que je ne vaux rien.
(*S'adressant à Damis.*)
Oui, mon cher fils, parlez, traitez-moi de perfide,
D'infâme, de perdu, de voleur, d'homicide.
Accablez-moi de noms encor plus détestés.
Je n'y contredis point, je les ai mérités,
Et j'en veux à genoux souffrir l'ignominie[3],
Comme une honte due aux crimes de ma vie.

1. Dénonciation. – 2. Malgré les apparences. – 3. Déshonneur extrême.

ORGON, *à Tartuffe.*
Mon frère, c'en est trop.

(*à son fils*)

Ton cœur ne se rend point,
Traître ?

DAMIS
Quoi ? ses discours vous séduiront au point…

ORGON
Tais-toi, pendard. (*à Tartuffe.*) Mon frère, eh ! levez-vous, de grâce !

(*à son fils.*)

Infâme !

DAMIS
Il peut…

ORGON
Tais-toi.

DAMIS
J'enrage ! Quoi ? je passe…

ORGON
Si tu dis un seul mot, je te romprai les bras.

TARTUFFE
Mon frère, au nom de Dieu, ne vous emportez pas.
J'aimerais mieux souffrir la peine la plus dure,
Qu'il eût reçu pour moi la moindre égratignure.

ORGON, *à son fils.*
Ingrat !

TARTUFFE

Laissez-le en paix. S'il faut, à deux genoux,
Vous demander sa grâce.

ORGON, *à Tartuffe.*

Hélas ! vous moquez-vous ?

(*à son fils.*)
Coquin ! vois sa bonté.

DAMIS

Donc…

ORGON

Paix.

DAMIS

Quoi ? je…

ORGON

Paix, dis-je.

Je sais bien quel motif à l'attaquer t'oblige :
Vous le haïssez tous; et je vois aujourd'hui
Femme, enfants et valets déchaînés contre lui ;
On met impudemment toute chose en usage,
Pour ôter de chez moi ce dévot personnage.
Mais plus on fait d'effort afin de l'en bannir,
Plus j'en veux employer à l'y mieux retenir ;
Et je vais me hâter de lui donner ma fille,
Pour confondre l'orgueil de toute ma famille.

**Texte C – Molière, *Dom Juan* (1665), acte IV, sc. 4 (p. 81)**

## Texte D – Jean Racine, *Phèdre* (1677), extrait de l'acte IV, sc. 2

*Racine emprunte le sujet de sa tragédie à la mythologie grecque. Alors que Thésée, roi d'Athènes, est porté disparu, Phèdre éprouve une violente passion pour son beau-fils, Hippolyte, le fils d'un premier mariage de Thésée, et avoue son amour au jeune homme horrifié. Au retour de Thésée, Oenone, la nourrice et confidente de Phèdre, craint que celle-ci se suicide : elle déclare alors à Thésée qu'Hippolyte a tenté de violer Phèdre. Le roi, accablé, croit à cette calomnie et se déchaîne contre son fils.*

THÉSÉE
Ah ! le voici. Grands dieux ! à ce noble maintien
Quel œil ne serait pas trompé comme le mien ?
Faut-il que sur le front d'un profane adultère
Brille de la vertu le sacré caractère[1] ?
Et ne devrait-on pas à des signes certains
Reconnaître le cœur des perfides humains ?

HIPPOLYTE
Puis-je vous demander quel funeste nuage,
Seigneur, a pu troubler votre auguste visage ?
N'osez-vous confier ce secret à ma foi[2] ?

THÉSÉE
Perfide, oses-tu bien te montrer devant moi ?
Monstre, qu'a trop longtemps épargné le tonnerre,
Reste impur des brigands dont j'ai purgé la terre,
Après que le transport d'un amour plein d'horreur
Jusqu'au lit de ton père a porté ta fureur,
Tu m'oses présenter une tête ennemie,
Tu parais dans des lieux pleins de ton infamie,
Et ne vas pas chercher, sous un ciel inconnu,
Des pays où mon nom ne soit point parvenu !

1. Le signe sacré de la vertu. – 2. Ma confiance.

Fuis, traître. Ne viens point braver ici ma haine
Et tenter un courroux que je retiens à peine[3].
C'est bien assez pour moi de l'opprobre[4] éternel
D'avoir pu mettre au jour un fils si criminel,
Sans que ta mort encor, honteuse à ma mémoire,
De mes nobles travaux[5] vienne souiller la gloire.
Fuis : et si tu ne veux qu'un châtiment soudain
T'ajoute aux scélérats qu'a punis cette main,
Prends garde que jamais l'astre qui nous éclaire
Ne te voie en ces lieux mettre un pied téméraire.
Fuis, dis-je ; et sans retour précipitant tes pas,
De ton horrible aspect purge[6] tous mes États.
Et toi, Neptune, et toi, si jadis mon courage
D'infâmes assassins nettoya ton rivage,
Souviens-toi que, pour prix de mes efforts heureux,
Tu promis d'exaucer le premier de mes vœux.
Dans les longues rigueurs d'une prison cruelle
Je n'ai point imploré ta puissance immortelle ;
Avares du secours que j'attends de tes soins,
Mes vœux t'ont réservé pour de plus grands besoins :
Je t'implore aujourd'hui. Venge un malheureux père.
J'abandonne ce traître à toute ta colère.
Étouffe dans son sang ses désirs effrontés.
Thésée à tes fureurs connaîtra tes bontés.

HIPPOLYTE
D'un amour criminel Phèdre accuse Hippolyte !
Un tel excès d'horreur rend mon âme interdite[7] ;
Tant de coups imprévus m'accablent à la fois,
Qu'ils m'ôtent la parole, et m'étouffent la voix.

3. Avec peine. – 4. Honte. – 5. Exploits. – 6. Débarrasse. – 7. Frappée de stupeur.

## Sujet de bac

### Question *(4 pts)*

Comment la relation entre père et fils est-elle dramatisée dans ces trois textes ?

### Travaux d'écriture *(16 pts)*

- **Commentaire**

Vous commenterez le texte 2, extrait du *Tartuffe* de Molière.

- **Dissertation**

Comment et pourquoi le théâtre est-il un moyen privilégié de représentation des conflits humains ?
Vous développerez votre réponse en vous référant aux textes du corpus, ainsi qu'aux pièces de théâtre et aux mises en scène que vous connaissez.

- **Invention**

Quelques scènes après cet extrait du *Tartuffe* (texte 2), Orgon perd enfin ses illusions sur le faux dévot dont il découvre l'imposture. Rédigez, en prose ou en vers, le dialogue qu'il pourrait alors avoir avec son fils Damis. Chacun des deux personnages reviendra sur le conflit qui les a opposés et exprimera ses sentiments et jugements sur Tartuffe.

**Autre proposition de sujet d'invention :**

Rodrigue fait part à Chimène de l'ordre que lui impose son père. Rédigez le dialogue (en prose ou en vers) entre les deux jeunes gens. Votre texte, entièrement rédigé, d'une longueur d'au moins deux pages, devra exprimer le dilemme mais aussi la décision prise par Rodrigue, ainsi que les réactions de Chimène.

## Pourquoi Dom Juan est-il un héros mythique ?

À l'instar de son héros, *Dom Juan* cumule les paradoxes. Cette pièce irrégulière met en scène un champion de l'inconstance baroque en pleine période classique. La polémique qui entoura ses premières représentations conduisit Molière à la retirer lui-même de l'affiche alors qu'elle devait remplacer le *Tartuffe*, censuré l'année précédente. Seule pièce à ne pas être publiée du vivant de l'auteur, elle fut longtemps écartée au profit de versions édulcorées, ou bien tenue pour mal faite, voire indigne du répertoire français. Pourtant, à la faveur de sa redécouverte au XXe siècle, elle est aujourd'hui considérée comme un chef-d'œuvre que son caractère « inclassable » et ses ambiguïtés rendent d'autant plus fascinant. Issu de l'archétype légendaire de l'athée foudroyé, le personnage de Don Juan, héros de la séduction et du défi orgueilleux, a donné lieu à un mythe en constante évolution et doué d'une prodigieuse vitalité, à travers la littérature et les arts. Apparu au XVIIe siècle sur la scène du théâtre baroque, le séducteur a trouvé une dimension nouvelle au siècle suivant avec l'opéra de Mozart et de Da Ponte, tandis que la génération romantique en a fait l'incarnation du rebelle en quête d'absolu. Au cours du XXe siècle, enfin, le mythe ne cesse d'être interrogé et réécrit, sur un mode souvent ironique et désabusé, tandis que les metteurs en scène, les cinéastes et les commentateurs d'horizons divers confrontent leurs multiples interprétations de Don Juan.
On peut donc s'interroger sur la place qu'occupe la pièce de Molière aux multiples lectures dans l'élaboration du mythe donjuanesque qui a lui-même évolué, de la figure de l'athée foudroyé aux défis du séducteur jouant avec les interdits.

1 • Qu'est-ce qui, selon Jean Rousset (texte 1, p. 159), distingue l'histoire de Don Juan des mythes traditionnels ? Qu'est-ce qui lui confère un statut mythique ?

2 • Qu'incarnent le héros et la pièce de Molière aux yeux de Rochemont (texte 2, p. 161) ? Pourquoi peut-on dire que la condamnation prononcée par celui-ci est systématique ?

3 • Par quels moyens Baudelaire (texte 3, p. 162) vise-t-il, au contraire, à valoriser le héros libertin ?

4 • Quelles oppositions remarquez-vous entre le Don Juan baroque, présenté par Giovanni Macchia (texte 4, p. 163) et le Don Juan romantique (texte 5, p. 164) ?

## Texte 1 • Jean Rousset, *Le Mythe de Don Juan,* 1978

La question qui se pose en premier lieu est celle-ci : parlant de Don Juan, peut-on en parler comme d'un mythe ? Il importe de la poser, pour deux raisons : l'incertitude, la fluidité de la notion même de mythe, la situation particulière de l'histoire qui se raconte depuis plus de trois siècles sur le Séducteur et l'Invité de pierre. On va le voir, la réponse, avant de se fixer, hésitera entre le oui et le non.

A-t-on le droit d'inscrire Don Juan dans la catégorie des mythes classés et définis par Éliade, Lévi-Strauss ou Vernant[1] parmi ces mythes des sociétés archaïques qui remontent aux origines, « au temps sacré des commencements », avant toute ère historique ? Or Don Juan est né à l'âge historique, à l'âge moderne, il est daté, on en connaît la première version, cette version « authentique » qui échappe aux ethnologues ; en ce sens, il n'appartiendrait pas à la famille des mythes.

Voici qui va peut-être permettre de l'y introduire ; il est fondé sur la mort, – sur la présence active *du* Mort, de la Statue animée, véritable protagoniste du drame, médiateur de l'au-delà, agent de la liaison avec le sacré. Ce n'est pas tout : ce Mort que le vivant offense en l'invitant à souper, ce Mort qui revient pour punir, il sort d'une légende populaire largement répandue dans l'Occident chrétien. Ainsi un fonds mythique enfoui affleure dans le *Don Juan* qui naît en 1630. Et sous cet humus légendaire, on devine, peut-être, un substrat plus profond, une survivance d'anciens cultes des morts avec offrande de nourriture. On sait l'importance du repas, de l'échange alimentaire dans le scénario donjuanesque. On le voit ainsi se rapprocher de la sphère mythique dont il semblait d'abord s'éloigner.

Au surplus, il n'est pas indifférent que le Mort punisseur intervienne sous la forme non pas d'un spectre ou d'un squelette comme dans les contes du folklore, mais d'une statue : le merveilleux est mieux servi par ces allées et venues de l'immobile, par cet amalgame inquiétant de pierre et de pensée. On y adjoindra ce thème apparenté : la légende de la statue fiancée qui vient réclamer son promis

1. Éliade, Lévi-Strauss et Vernant : historiens et anthropologues du XXe siècle.

le soir de ses noces, dont la *Vénus d'Ille*[2] est l'une des mises en œuvre littéraires.

Voici, en revanche, qui va nous éloigner à nouveau de la sphère mythique : « les mythes n'ont pas d'auteur » (Lévi-Strauss), ils ont une longue préhistoire orale, ils vivent d'une « tradition » anonyme. Mais *Don Juan* a un auteur sans lequel il ne fût pas venu à l'existence, la version inaugurale est attestée dans un texte écrit. Admettra-t-on qu'un document émanant d'un professionnel de l'écriture puisse constituer l'acte de naissance d'un mythe ? Rien de plus contraire à la définition généralement reçue.

Toutefois on constate par ailleurs un fait historique qui entre dans cette définition : Don Juan n'a pas tardé à se rendre indépendant de son inventeur et du texte fondateur ; Tirso et le *Burlador* originel sont oubliés, les utilisateurs n'y font plus référence, mais *Don Juan* ne se laisse pas oublier, il vit d'une vie autonome, il passe d'œuvre en œuvre, d'auteur en auteur, comme s'il appartenait à tous et à personne. On reconnaît là un trait propre au mythe, son anonymat lié à son pouvoir durable sur la conscience collective ; celui-ci va de pair avec son aptitude à toujours naître et renaître en se transformant. [...]

Ce dernier trait nous oriente du côté de la réception : je pense à la fonction de modèle, d'action exemplaire exercée par le mythe dans les sociétés traditionnelles, où chaque récepteur s'identifie au héros, au dieu, revivant ou rejouant la geste instauratrice pour déchiffrer dans le temps actuel sa propre situation. Qu'en est-il avec *Don Juan* ? À qui le spectateur va-t-il s'identifier ? Aux victimes du libertin, ou aux instances d'opposition et de châtiment ? Ou au héros lui- même ? Mais en ce cas, prendra-t-on le point de vue du délinquant condamné par le XVII^e^ siècle ? Ou celui de l'amant fascinateur, du rebelle glorifié par le romantisme ? Ou même celui du mystificateur tourné en dérision par notre temps ? Il y a là, selon les versions et les époques, selon le genre et la mise en scène, et selon l'attente du public, toute une gamme de solutions différentes, voire opposées. C'est un facteur important de variations, qui feront du héros un modèle tantôt négatif, tantôt positif.



2. Nouvelle de Prosper Mérimée (1837).

## Texte 2 • Rochemont, *Observations sur une comédie de Molière intitulée* Le Festin de Pierre, 1665

*En avril 1665, un mois après les dernières représentations de* Dom Juan, *un mystérieux auteur, caché derrière les initiales « B.A. Sr. D.R., avocat en Parlement », publia ces virulentes* Observations *qui condamnaient l'athéisme de la pièce (**voir un autre extrait, p. 132**). Ce pamphlet, qu'une seconde édition attribuera à un certain « Sieur de Rochemont » contribua à renforcer la réputation sulfureuse de* Dom Juan *et la polémique à son sujet.*

Il serait difficile d'ajouter quelque chose à tant de crimes dont sa pièce est remplie. C'est là que l'on peut dire que l'impiété et le libertinage se présentent, à tous moments, à l'imagination : une religieuse débauchée, et dont l'on publie la prostitution ; un pauvre à qui l'on donne l'aumône à condition de renier Dieu ; un libertin qui séduit autant de filles qu'il en rencontre ; un enfant qui se moque de son père et qui souhaite sa mort ; un impie qui raille le Ciel et qui se rit de ses foudres ; un athée qui réduit toute sa foi à *deux et deux sont quatre et quatre et quatre sont huit* ; un extravagant qui raisonne grotesquement de Dieu et qui, par une chute affectée, *casse le nez à ses arguments* ; un valet infâme, fait au badinage de son maître, dont toute la créance aboutit au Moine bourru, car pourvu que l'on croie le Moine bourru, tout va bien, le reste n'est que bagatelle ; un démon qui se mêle dans toutes les scènes et qui répand sur le théâtre les plus noires fumées de l'Enfer ; et enfin un Molière, pire que tout cela, habillé en Sganarelle, qui se moque de Dieu et du Diable, qui joue le Ciel et l'Enfer, qui souffle le chaud et le froid, qui confond la vertu et le vice, qui croit et ne croit pas, qui pleure et qui rit, qui reprend et qui approuve, qui est censeur et athée, qui est hypocrite et libertin, qui est homme et démon tout ensemble : *un diable incarné*, comme lui-même se définit. Et cet homme de bien appelle cela corriger les mœurs des hommes en les divertissant, donner des exemples de vertu à la jeunesse, réprimer galamment les vices de son siècle, traiter sérieusement les choses saintes, et couvre cette belle morale d'un feu de charte[1] et d'un foudre imaginaire et aussi ridicule que celui de Jupiter, dont Tertullien[2] raille si agréablement, et qui, bien loin de donner de la crainte aux hommes, ne pouvait pas chasser une mouche ni faire peur à une souris. En effet, ce prétendu foudre apprête un nouveau sujet de risée aux spectateurs, et n'est qu'une occasion à Molière pour braver, en dernier ressort, la justice du Ciel, avec une âme de valet intéressée, en criant : *Mes gages, mes gages !*

1. Un feu de carton ; allusion aux feux de Bengale et fusées représentant le foudroiement de Dom Juan et son engloutissement à la fin de la pièce.
2. Écrivain latin chrétien du IIe s. ap. J.-C.

## Texte 3 • Charles Baudelaire, « Don Juan aux Enfers », 1857

*Fasciné par la question du Mal et de la transgression, Charles Baudelaire s'est toujours intéressé à Don Juan auquel il a consacré une ébauche théâtrale,* La Fin de Don Juan *(1853). En s'inspirant probablement de tableaux de Delacroix (*Le Naufrage de Don Juan, *ainsi que* Dante et Virgile aux Enfers*), le poète mêle des emprunts à la mythologie grecque et des références à Molière. Il esquisse la figure romantique d'un champion du défi orgueilleux face à l'éternité.*

Quand Don Juan descendit vers l'onde souterraine
Et lorsqu'il eut donné son obole[1] à Charon[2],
Un sombre mendiant, l'œil fier comme Antisthène[3],
D'un bras vengeur et fort saisit chaque aviron.
Montrant leurs seins pendants et leurs robes ouvertes,
Des femmes se tordaient sous le noir firmament,
Et, comme un grand troupeau de victimes offertes,
Derrière lui traînaient un long mugissement.

1. Pièce de monnaie que les Grecs glissaient dans la bouche des morts pour rétribuer Charon.
2. Dans la mythologie grecque, passeur transportant les morts de l'autre côté de l'Achéron, le fleuve des Enfers.
3. Philosophe grec (vers 444-365 av. J.-C.), fondateur de l'École cynique.

Sganarelle en riant lui réclamait ses gages,
Tandis que Don Luis avec un doigt tremblant
Montrait à tous les morts errant sur les rivages
Le fils audacieux qui railla son front blanc.
Frissonnant sous son deuil, la chaste et maigre Elvire,
Près de l'époux perfide et qui fut son amant,
Semblait lui réclamer un suprême sourire
Où brillât la douceur de son premier serment.
Tout droit dans son armure, un grand homme de pierre
Se tenait à la barre et coupait le flot noir,
Mais le calme héros, courbé sous sa rapière[4],
Regardait le sillage et ne daignait rien voir.

*Les Fleurs du mal,* « Spleen et idéal », XV.

4. Longue épée effilée.

## Texte 4 • Giovanni Macchia, *Vie, aventures et mort de Don Juan*, 1978

*Écrivain et critique italien, Giovanni Macchia étudie dans cet essai le personnage de Don Juan à travers les multiples œuvres qu'il a inspirées et analyse « le destin paradoxal d'un mythe typiquement baroque qui continue à vivre pendant plus de trois siècles ».*

Le donjuanisme naît du goût de la mort : c'est la plus violente protestation contre le culte de la mort instauré entre le XVI^e^ et le XVII^e^ siècle. [...] Dans la formation de don Juan, l'athéisme représente l'élément fondamental, mais il ne revendique plus, comme chez les Libertins, le moindre respect. Nullement fasciné par les débats théologiques ou simplement théoriques, don Juan a d'autres chats à fouetter : c'est un génie de la pratique. Le moment venu, pour les besoins de la cause, il pourra même, lorsque cela l'arrange, renier son athéisme (comme cela arrive chez Molière). Mais il reste toujours lui-même.

[...] Pétri d'énergie vitale, il[1] considère le monde comme pure représentation, théâtre d'événements qu'il exploite en vue d'un objectif unique, toujours le même : l'expérience érotique. La vie est variété, mais elle n'a de sens que si elle est scandée par la répétition. Pour cela il faut du temps et de l'espace. Ce qui n'exclut pas que don Juan puisse être un personnage complexe, et il le deviendra. Mais il possède aussi les caractéristiques d'un personnage populaire et la *Commedia dell'Arte* le traitera comme tel, pour des raisons de forme et de contenu. Comme tous les personnages populaires, don Juan ne peut respecter la règle des trois unités. S'il n'agissait pas en des temps différents, si cette action ne se traduisait pas en faits concrets, le personnage ne pourrait même pas exister. De surcroît, la légende se fonde sur une irrémédiable séparation entre le ciel et la terre, élément lui aussi typiquement populaire. Don Juan représente la terre sans le ciel, avec ses délices immédiates et concrètes. Ce que pouvaient être les délices célestes, il n'était pas donné au public de le voir. Le ciel condamne, il ne cesse d'adresser d'inutiles invitations au repentir, mais il ne promet rien de précis. Il ne restait donc plus au bon public qu'à jouir de la jouissance de don Juan, à s'amuser même lorsqu'il tuait, heureux cependant, jésuitiquement, de ne pas être entraîné dans la damnation du pécheur. Sa cruauté associée à l'érotisme, expression totale de l'être, sa façon d'aller droit au but, courageusement, faisaient de lui une sorte d'anti-héros que le public aimait diaboliquement. Mais en même temps l'incroyable ardeur qu'il déploie dans la poursuite d'un objectif jugé futile, sujet digne tout au plus de nouvelles licencieuses, d'anecdotes piquantes, son impassibilité face au châtiment et à la mort, son refus du lâche repentir, son affirmation d'un sentiment chevaleresque et féodal de l'honneur, en faisaient aussi un héros. Le sexe, servi par une vitalité inépuisable, acquiert à travers lui une dimension extraordinaire, qui débouchera sur la psychopathie sadienne. On a dit que l'amour est une invention du XII<sup>e</sup> siècle. Mais c'est le XVII<sup>e</sup> siècle qui a inventé l'érotisme, avec toutes ses dégénérations et sa folie : il a inventé don Juan.

Traduit de l'italien par Claude Perrus,


1. Don Juan.

## Texte 5 • Christian Biet, *Don Juan, mille et trois récits d'un mythe*, 1998

**Don Juan, héros romantique**

Pour exister, Don Juan doit figurer une réaction individuelle, héroïque, libre, face au monde et à ses croyances les plus sacrées ; il s'oppose au modèle de l'homme social idéal, du mari monogame et responsable, du père de famille et du parfait croyant. C'est pourquoi le romantisme s'en empare afin de prendre en charge sa singularité, sa révolte et son désespoir. Les écrivains du début du XIXe siècle choisissent en effet pour emblème le jeune homme seul, sombre, au visage tourné vers le ciel, errant sur la terre, cherchant partout les contrastes – la vie et la mort, l'ombre et la lumière, le bien et le mal –, sans admettre jamais son propre inachèvement.

Don Juan se transforme ainsi, à l'image de ses auteurs, en un personnage mélancolique, rêveur et réprouvé. Ange déchu, il sait que sa lutte avec Dieu est vaine, vouée à l'échec, mais sa grandeur tragique est de rechercher, justement, cet affrontement inéluctable. Le trompeur baroque insensible est devenu sincère, et aimant. Musset, dans le chant II de *Namouna* (1832), en fait l'image d'un « prêtre désespéré » dévoré par l'amour en même temps qu'un homme blasé : la figure du poète. Son perpétuel désir de la femme idéale l'entraîne à un irrémédiable échec.

# Question d'actualité

## De *Dom Juan* à aujourd'hui : l'individualisme menace-t-il le lien social ?

Personnage cherchant toujours à satisfaire ses désirs personnels, fils ingrat bafouant le respect dû au père, transgresseur des valeurs morales, sociales et religieuses de son temps, détracteur des croyances traditionnelles, Dom Juan apparaît comme le précurseur de l'individualisme moderne. Cette notion est bien sûr anachronique dans la société d'Ancien Régime dont il est issu. C'est en effet avec la Révolution française de 1789 que s'amorcera la lente mutation d'un monde fondé sur le culte de Dieu, du Roi et de la tradition des Pères vers une société exaltant la liberté et l'épanouissement des individus au sein d'un régime démocratique.

Dans son ouvrage *Essais sur l'individualisme* (Seuil, 1983), le sociologue Louis Dumont oppose ainsi les sociétés « holistes » où prime la totalité sociale, et les sociétés individualistes, où « l'Individu est la valeur suprême ».

Or, depuis le XIXe siècle, l'individualisme est à la fois synonyme de progrès et de menace. Tandis que certains louent le pouvoir d'émancipation des individus dégagés des autorités traditionnelles, d'autres soulignent le risque de « perte des repères » et du sens du sacré, celui aussi de désintégration de la société ou encore de rupture des liens élémentaires de solidarité.

Il peut être intéressant de confronter les défis du grand aristocrate libertin à ces interrogations, posées naguère ou aujourd'hui, sur la place de l'individu dans la société.

**1** • Dans quelle mesure l'interprétation de Dom Juan proposée par Sarah Kofman (texte 1, p. 167) fait-elle écho à certains aspects de l'individualisme et des sociétés modernes abordés dans les textes 2 à 4 ?

**2** • Quelles distinctions Tocqueville (texte 2, p. 168) établit-il entre « l'égoïsme » et « l'individualisme » ? De quelle attitude, ainsi définie, vous paraît se rapprocher le Dom Juan de Molière ?

**3** • Quelle possibilité de conciliation entre les aspirations individualistes et la préservation des liens sociaux suggère François de Singly (texte 3, p. 169) ?

**4** • L'opposition établie par Michel Houellebecq (texte 4, p. 170) entre la sexualité et l'amour vous paraît-elle applicable au « cas » de Dom Juan ?

## Texte 1 • Sarah Kofman et Jean-Yves Masson, *Don Juan ou le refus de la dette*, 1991

*Les auteurs de ce livre consacré à trois versions du mythe de Don Juan (Molina, Molière, Lenau), montrent que le refus de payer ses dettes aux hommes comme à Dieu fait du héros de Molière un faux-monnayeur refusant toute forme de lien et bravant toutes les figures de l'autorité.*

C'est bien parce que Dom Juan use et abuse des promesses, qu'il est « plus », ou autre chose qu'un séducteur. Le « recours » par le Dom Juan de Molière à la « promesse » ne me semble pas, en effet, un simple procédé que l'auteur aurait repris à ses prédécesseurs, qui mettent tous, eux aussi, dans la bouche de leurs trompeurs, la promesse du mariage. Chez Molière, « la promesse » n'est pas une simple ruse *en vue* de la séduction : faire des promesses et ne pas les tenir est symptomatique de la conduite entière du personnage et séduire, pour Dom Juan, n'est qu'un des *moyens*, peut-être le plus important, d'exhiber son intolérance fondamentale à tenir parole, à tenir en tous domaines ses engagements, à remplir ses obligations, à honorer ses contrats. Bref, à se sentir, d'une manière ou d'une autre, enchaîné dans des liens. Son refus d'être borné dans ses désirs par des interdits, des lois, des obstacles internes ou externes est le corrélat de son « projet fondamental » : refuser de payer ses dettes. Dom Juan est, par excellence, *l'infidèle*, celui qui ne respecte aucune foi. Sa seule fidélité est à l'égard du contrat qu'il a passé avec lui-même (à l'encontre de tous les contrats sociaux) et qu'il respectera jusqu'à la fin, sans reniement, sans crainte, malgré toutes les menaces, les signes venus de tous côtés, sous le mot très abstrait de « *Ciel* » qui résonne d'un bout à l'autre de la pièce, mis dans la bouche de tous les comparses : de Sganarelle, d'Elvire, de Dom Louis le père, et, parodiquement, dans celle de Dom Juan lui-même. Véritable inflation de ce terme concurrencé seulement par ceux d'« engagement », de « gage », d'« obligation » dont l'occurrence est au moins aussi forte, l'appel au « Ciel » – au châtiment céleste – ayant lieu, à chaque fois que Dom Juan, d'une manière ou d'une autre, ne tient pas parole, brise une promesse ou un contrat, ne paye pas ses dettes. Dans cette perspective, le « Ciel » est vu comme le créancier suprême qui, un jour ou l'autre, saura bien faire payer à Dom Juan ses dettes, même si, ce faisant, il se soucie bien peu de payer ses dettes terrestres, puisque le mot de la fin appartient à Sganarelle qui réclame en vain ses gages.



## Texte 2 • Alexis de Tocqueville, *De la démocratie en Amérique*, 1835-1840

*Tocqueville fut chargé par le gouvernement de la monarchie de Juillet d'une enquête sur le système pénitentiaire aux États-Unis. À son retour, il publie* De la démocratie en Amérique, *analyse des fondements de la démocratie et des rapports entre l'individu et la société. Craignant que le progrès démocratique aboutisse à un despotisme de la majorité et à un État « tutélaire », il préconisait la liberté de la presse et l'indépendance du pouvoir judiciaire.*

J'ai fait voir comment, dans les siècles d'égalité, chaque homme cherchait en lui-même ses croyances ; je veux montrer comment, dans les mêmes siècles, il tourne tous ses sentiments vers lui seul.

*L'individualisme* est une expression récente qu'une idée nouvelle a fait naître. Nos pères ne connaissaient que l'égoïsme.

L'égoïsme est un amour passionné et exagéré de soi-même, qui porte l'homme à ne rien rapporter qu'à lui seul et à se préférer à tout.

L'individualisme est un sentiment réfléchi et paisible qui dispose chaque citoyen à s'isoler de la masse de ses semblables et à se retirer à l'écart avec sa famille et ses amis ; de telle sorte que, après s'être ainsi créé une petite société à son usage, il abandonne volontiers la grande société à elle-même.

L'égoïsme naît d'un instinct aveugle ; l'individualisme procède d'un jugement erroné plutôt que d'un sentiment dépravé. Il prend sa source dans les défauts de l'esprit autant que dans les vices du cœur.

L'égoïsme dessèche le germe de toutes les vertus, l'individualisme ne tarit d'abord que la source des vertus publiques ; mais, à la longue, il attaque et détruit toutes les autres et va enfin s'absorber dans l'égoïsme.

L'égoïsme est un vice aussi ancien que le monde. Il n'appartient guère plus à une forme de société qu'à une autre.

L'individualisme est d'origine démocratique, et il menace de se développer à mesure que les conditions s'égalisent.

*Œuvres*, tome II, deuxième partie, chapitre II, © Gallimard, « La Pléiade », 1992.

## Texte 3 • François de Singly, *Les uns avec les autres, quand l'individualisme crée du lien*, 2003

*S'opposant aux critiques actuelles contre l'individualisme accusé d'avoir créé la crise des repères et de la cohésion sociale, le sociologue François de Singly suggère au contraire que l'on peut concilier l'émancipation individuelle et le lien social, à travers différentes façons d'être « libres ensemble ». Le passage suivant fait écho à l'avant-propos du livre, où l'auteur s'interrogeait sur la morale du conte d'Alphonse Daudet, « La Chèvre de monsieur Seguin ».*

L'échec de monsieur Seguin[1] ne prouve pas que le problème du lien soit insoluble. Cet homme n'est pas parvenu à répondre au défi d'une chèvre « individualisée ». Il n'a su proposer que l'allongement de la corde, qu'un léger desserrement du lien de dépendance. Il n'a pas voulu modifier son identité de propriétaire et la relation paternaliste qu'il avait avec l'animal. La chèvre refusait la corde, c'est-à-dire un lien qui marquait nettement son manque de liberté. Le maître ne trouve comme réponse à la revendication de la chèvre que l'enfermement. Il marque nettement son manque de confiance. Il aurait pu lui laisser la liberté dans le champ avec d'autres chèvres, ou aller se promener avec elle dans la montagne pendant la journée. Il préfère lui interdire toute liberté de circulation. Cette absence de négociation provoque la fugue de la chèvre. Heureusement les parents contemporains se conduisent autrement que monsieur Seguin. Assez souvent, ils savent combiner sécurité nécessaire et indépendance revendiquée. Ils y parviennent lorsqu'ils considèrent que leur enfant n'est pas seulement leur fils ou leur fille, qu'il a le devoir de devenir indépendant et autonome, qu'il ne peut y parvenir que s'il noue d'autres liens, sans oublier pour

1. Allusion au conte d'Alphonse Daudet, « La Chèvre de monsieur Seguin ».

autant que ce garçon ou cette fille est aussi leur enfant, devant bénéficier d'une certaine sollicitude. Ce n'est pas un repli sur le champ de monsieur Seguin, sur les petites ou grandes communautés qui sauvera les sociétés modernes. C'est la création de relations telles que le vivre ensemble soit conciliable avec la reconnaissance des individus en tant que personnes, des individus qui ne se réduisent jamais à une définition univoque. Les individus les plus attachés à leur quartier [...], à telle communauté, sont le plus souvent des individus qui ne trouvant pas d'autres formes de reconnaissance acceptent cette réduction identitaire. Mais ces mêmes individus rêvent de sortir, d'être définis aussi autrement, de nouer des liens ailleurs. La revendication d'un lien traditionnel, de type communautaire, reflète avant tout la marque d'un manque, d'une impossibilité de voyager dans l'espace social. La résolution de la crise du lien social se réglera surtout lorsque chacun aura les conditions objectives de pouvoir se réaliser soi-même dans plusieurs groupes, d'avoir plusieurs places, plusieurs appartenances. La liberté n'a de sens que lorsqu'elle est associée à l'égalité.



## Texte 4 • Michel Houellebecq, *La Possibilité d'une île*, 2005

*Romancier à succès depuis son deuxième livre,* Les Particules élémentaires *(1998), Michel Houellebecq est considéré par ses détracteurs comme un phénomène médiatique tandis que ses partisans voient en lui un analyste lucide et incisif de la société hédoniste. Chacun de ses romans, dont* La Possibilité d'une île, *donne une vision toujours plus désenchantée des relations humaines et imagine, dans des formes de récit contre-utopique, la création artificielle d'une nouvelle humanité.*

Il était peu vraisemblable que l'espèce appelée à nous succéder soit, au même degré, une *espèce sociale* ; depuis mon enfance l'idée qui concluait toutes les discussions, qui mettait fin à toutes les divergences, l'idée autour de laquelle j'avais le plus souvent vu se dégager un consensus absolu, tranquille, *sans histoires*, pouvait à peu près se résumer ainsi : « Au fond on naît seul, on vit seul et on meurt seul. » Accessible aux esprits les plus sommaires, cette phrase était également la conclusion des penseurs les plus déliés ; elle provoquait en toutes circonstances une approbation unanime, et il semblait à chacun, ces mots sitôt prononcés, qu'il n'avait jamais rien entendu d'aussi beau, d'aussi profond ni d'aussi juste – ceci quels que soient l'âge, le sexe, la position sociale des interlocuteurs. […] De telles dispositions d'esprit ne peuvent guère, à long terme, favoriser une sociabilité riche. La sociabilité avait fait son temps, elle avait joué son rôle historique ; elle avait été indispensable dans les premiers temps de l'apparition de l'intelligence humaine, mais elle n'était plus aujourd'hui qu'un vestige inutile et encombrant. Il en allait de même de la sexualité, depuis la généralisation de la procréation artificielle. « Se masturber, c'est faire l'amour avec quelqu'un qu'on aime vraiment » : la phrase était attribuée à différentes personnalités, allant de Keith Richards à Jacques Lacan ; elle était de toute façon, à l'époque où elle fut prononcée, *en avance sur son temps*, et ne pouvait par conséquent avoir de réel impact. Les relations sexuelles allaient d'ailleurs certainement se maintenir quelque temps comme support publicitaire et principe de différenciation narcissique, tout en étant de plus en plus réservées à des spécialistes, à une *élite érotique*. Le combat narcissique durerait aussi longtemps qu'il pourrait s'alimenter de victimes consentantes, prêtes à y chercher leur ration d'humiliation, il durerait probablement aussi longtemps que la sociabilité elle-même, il en serait l'ultime vestige, mais il finirait par s'éteindre. Quant à *l'amour*, il ne fallait plus y compter : j'étais sans doute un des derniers hommes de ma génération à m'aimer suffisamment peu pour être capable d'aimer quelqu'un d'autre, encore ne l'avais-je été que rarement, deux fois dans ma vie exactement. Il n'y a pas d'amour dans la liberté individuelle, dans l'indépendance, c'est tout simplement un mensonge, et l'un des plus grossiers qui se puisse concevoir ; il n'y a d'amour que dans le désir d'anéantissement, de fusion, de disparition individuelle, dans une sorte comme on disait autrefois de *sentiment océanique*, dans quelque chose de toute façon qui était, au moins dans un futur proche, condamné.

Daniel Mesguich a mis en scène *Dom Juan* à deux reprises (en 1996 et 2003).

## Daniel Mesguich,
### metteur en scène

▸ *Comment est né le projet de* Dom Juan *?*

Difficile à dire. Un metteur en scène, pour moi, est quelqu'un qui doit toujours avoir envie de mettre en scène *Dom Juan*, comme il doit avoir envie, toujours, de mettre en scène *Hamlet*, *Faust* ou *Médée*, les grands mythes, les textes fondateurs de l'art du théâtre, ces textes qui sont comme autant de colonnes vertébrales de ce monstre protéiforme : le théâtre. Tous les autres textes, quel que soit leur objet, ou leur projet, et si précieux et passionnants soient-ils, sont des connections, des ramifications de ceux-là.
Je crois que j'ai toujours désiré, même sans le savoir, mettre en scène *Dom Juan* : ce projet a dû naître, à mon insu, l'indatable jour où est né mon désir de faire du théâtre. Peut-être même est-ce parce qu'il existe des textes comme *Dom Juan* que j'ai désiré faire du théâtre, et non parce que je fais du théâtre que j'ai désiré mettre en scène *Dom Juan*. Peut-être *Dom Juan* me met-il en scène davantage que je ne le mets en scène, puisque c'est lui, peut-être, qui met en scène mon désir de le mettre en scène…
En tous cas, le jour où j'ai dit « je vais mettre en scène *Dom Juan* », je ne savais pas ce que je disais. Nous, les gens du théâtre, nous prenons tous les jours le petit-déjeuner avec Eschyle, Calderòn ou Tchekhov. Tous les jours nous déjeunons avec Molière, Racine

ou Claudel. Tous les jours nous dînons avec Cixous, Shakespeare ou Marivaux ; ils sont nos amis, nos intimes, nous ne les quittons jamais, et nous les fréquentons mille fois plus que nos boulangers, percepteurs ou chauffeurs de taxi et même, souvent, que nos autres amis. Et nous montons, démontons, tissons, détissons leurs textes toute notre vie. Et, de temps à autre, quand le sérieux argent nous le permet, nous plongeons dans l'océan du sens et des lignes écrites, et nous en rapportons, presque au hasard, une goutte. Mais chaque spectacle, pour nous, est un coquillage que nous portons à notre oreille pour entendre tout l'océan, chaque mise en scène, pour nous, est un chapitre seulement d'un grand livre invisible, et c'est le livre qui détient, s'il le détient, le sens, non le chapitre. Cette fois-ci, donc, il se trouve que c'était *Dom Juan*. Je n'avais, au départ, aucune idée précise, ou presque. J'avais déjà monté *Dom Juan* quelques années auparavant, mais c'était en alternance avec *Hamlet*, en même temps, et avec les mêmes acteurs et dans le même décor que *Hamlet* ; comme la mise en regard et la mise en écoute d'un texte par l'autre ; comme pour nous retrouver, nous, acteurs et spectateurs, entre eux, en leurs différences. Avant, donc, l'épreuve des répétitions, avant de jouer avec le texte, de le jouer (ou de le travailler, les deux mots, au théâtre, sont synonymes), je n'avais rien à en dire. Mais nous avons ouvert le livre...

▶ ***Votre première mise en scène de* Dom Juan *différait-elle beaucoup de la seconde ?***

Oui ; enfin oui et non. La seconde fois, j'ai voulu considérer le travail de mise en scène comme un *work in progress*, et je suis parti de la première version. Mais précisément : j'en suis parti – c'est-à-dire que je n'y suis pas resté. D'ailleurs, j'oublie vite mes mises en scène, et ce que j'ai pu dire ou faire. Ne m'en restent, la plupart du temps, que quelques rares moments fugitifs, et une impression générale, une saveur. C'est sans doute que je tiens que le travail du metteur en scène a davantage à voir avec celui du journaliste qu'avec celui de l'écrivain : les mises en scène sont toujours à refaire (c'est qu'elles disent un rapport : celui de la lettre et du monde ; et ce deuxième terme change sans cesse). La plupart des scènes de ce deuxième *Dom Juan* étaient donc très différentes des mêmes scènes dans le premier *Dom Juan*, même si l'on peut dire sans se tromper qu'elles n'auraient pas été ce qu'elles ont été s'il n'y avait pas eu, précisément, ce premier *Dom Juan*.
Pourtant j'ai pu, parfois, me rendre compte que ce que j'étais en train de dire et que je croyais inventer, je l'avais déjà dit et proposé presque dans les mêmes termes quelques années auparavant. Cela méritait donc, me semblait-il, par cette insistance même,

de rester inscrit dans ce second travail. Et c'est ainsi que l'on peut dire que certains moments étaient très semblables dans les deux spectacles. Deux de ces moments, plus « massifs » que les autres, me reviennent. Le premier est le traitement de la scène dite « des paysans » ; le second, celui de la scène de Monsieur Dimanche.

▶ ***Parlez-nous de la scène des paysans…***

Je n'ai jamais aimé, dans cette scène, entendre des acteurs imiter l'accent de je ne sais quel terroir. D'abord parce que ce n'est jamais bien probant, et que ce réalisme projeté est toujours bien fantaisiste. Ensuite parce que j'ai toujours cette désagréable impression, malgré la bonhomie et un comique d'ailleurs relatif, qu'il s'agit là d'une moquerie un peu méprisante, d'un persiflage de classe, celui de citadins (de ceux qui vont au théâtre) envers ceux qui restent à la ferme (ceux qui n'y vont pas) ; cela me rappelle immanquablement cette tradition du vaudeville (fondée d'ailleurs sur la même attitude) où les bourgeois se moquaient, à en rire aux larmes, de la bonne alsacienne ou bretonne (Bécassine), fraîchement arrivée à Paris ; petit racisme sympathique, c'est-à-dire odieux.

J'ai préféré penser que si *Dom Juan* est bien du théâtre, et c'en est, le « pays » qui fait de ceux qui y habitent des « paysans », c'est le théâtre. Les « paysans » seraient les premiers habitants de cette île : la « Sicile-théâtre ». Et me souvenant que Molière avait commencé par le théâtre de rue et les farces, j'ai imaginé que ces personnages premiers étaient des archétypes de comédie, des personnages archaïques, naïfs et non-violents, voisins de ceux de la *commedia dell'Arte*. Quand Dom Juan arrivait, tout se passait comme si un personnage élaboré du Molière deuxième manière venait « draguer » des personnages simples du Molière première manière. Tout lui était bon, à ce Dom Juan ! La transgression habituelle et « réaliste » (un aristocrate vient, ô scandale, séduire des filles du peuple) se trouvait déplacée, certes, mais une transgression demeurait. Quant au texte, les acteurs le disaient de manière plutôt précieuse, digne, comme s'ils parlaient un français parallèle, intime et étrange à la fois, une langue que tous les spectateurs comprenaient, mais qu'aucun d'eux, jamais, n'avait parlée. Non pas un « mauvais » français, mais un français autre, comme, peutêtre, le canadien français pour un Français de France, ou comme une écriture travaillée, telle qu'un écrivain d'avant-garde au XX^e siècle aurait pu la ciseler. Et, dans cette île aux personnages, tous, avant l'arrivée de Dom Juan, s'aimaient. Ils se peignaient mutuellement, chacun posant, à tour de rôle, pour l'autre ; mais, sur les toiles, on ne voyait que des ciels (les tableaux de ciel et les statues de femme étaient les deux « accessoires » principaux du spectacle), comme si chacun voyait le ciel en l'autre, voyait l'autre jusqu'au ciel.

▸ ***La scène avec Monsieur Dimanche reflétait une vision très particulière…***

Oui. Cette scène aussi, je ne l'avais jamais trouvée drôle. J'ai essayé de comprendre pourquoi, et quelques indices m'ont fait penser qu'on pouvait la monter comme la préfiguration d'un « fascisme » dont Dom Juan pouvait aussi être le précurseur. Pendant des siècles, en Europe, seuls les Juifs avaient le droit de prêter de l'argent, le droit d'usure (ils n'avaient d'ailleurs pas d'autres droits, ou presque).
Monsieur Dimanche était peut-être un Juif. Les Juifs en pays chrétien prenaient souvent un nom d'emprunt (Janvier, Juin, etc.). « Dimanche » pouvait être un nom d'emprunt, peu de gens s'appellent « Dimanche » (le jour du Seigneur). Quand Dom Juan lui demande s'il veut bien dîner avec lui, Dimanche refuse. Plusieurs raisons à cela sont possibles, mais l'une d'elles est qu'il ne mange pas de ce que mange Dom Juan, sa religion le lui interdit. Enfin et surtout, qui peut-on maltraiter ainsi, de qui peut-on ainsi se moquer, dans l'impunité totale ? Des Juifs ; les autres iraient en justice.
Nous avons donc fait de Monsieur Dimanche un Juif qui arrivait, accompagné de toute sa famille, pour réclamer son dû, et lorsqu'à la fin de la scène, horrible, Dom Juan les renvoyait, on entendait, au loin, au loin dans l'Histoire, un bruit de train et un discours de Hitler mêlés ; et les flambeaux qu'avait exigés Dom Juan pour raccompagner Dimanche et sa famille semblaient, dans les mains de ses sbires, des torches menaçantes prêtes à allumer tous les bûchers à venir.

▸ ***Quelle est la différence principale entre les deux mises en scène ?***

Les deux spectacles étaient, dans l'ensemble, très différents. Ne serait-ce que parce que le premier *Dom Juan* comportait une idée de mise en scène que j'avais trouvée, après coup, trop massive, trop visible, et que je n'ai pas gardée. Cette idée, que j'avais crue une idée parmi bien d'autres, une piste possible de plus, écrasait toutes les autres idées, toutes les autres pistes, on ne lisait plus qu'elle. Ce n'était pas, à mon sens, qu'elle fût mauvaise en soi, mais elle semblait rendre la mise en scène résumable à elle seule, ce qui est à des années-lumière de mon travail, qui est fondé sur la contradiction, la tension, le pli, l'écart, la différenciation, la séparation, la dissémination, etc. C'est par là qu'elle s'est révélée, en fin de compte, « mauvaise », même si elle était, d'autre part, magnifique et éclairante : le rôle de Sganarelle était tenu par une femme. Je rencontrais partout cette expression : « le couple Sganarelle - Dom Juan » ; eh bien je l'ai prise au mot, j'ai proposé un véritable couple, un couple hétérosexuel ; et, du coup, Sganarelle, qui n'est pas une femme, devenait LA femme, alors que toutes les « autres » femmes n'étaient jamais, chacune, qu'UNE femme ; Sganarelle était LA femme, inaccessible, introuvable (bien que là, tout près de Dom Juan), et pour cause : elle était un homme ! Et ce pauvre Dom Juan courait partout, cherchait en toutes les femmes, à l'infini, celle impossible qui était à côté de lui, et faisait en chaque « une » des ravages (je me souviens qu'à l'époque, je disais en riant que je m'autorisais cette entorse de ce que Sganarelle a une désinence féminine : *e, l, l, e*. C'était une preuve, non ?). Pourtant, Luce Mouchel, qui jouait Sganarelle, disait, bien sûr, le texte exact, et les adjectifs au masculin qui la concernaient, elle les disait, au masculin. Elle était, d'autre part, bien que très féminine, habillée en homme (en fait, elle était habillée exactement comme Dom Juan, comme son double, son même-autre), mais quand Sganarelle se déguisait dans la forêt, elle se déguisait... en femme et mettait une jupe. Et quand Luce disait, par exemple : « ce foie, ce coeur, ce poumon » (ce que Christian Heck, le Sganarelle du deuxième *Dom Juan*, fait de manière magnifique et irrésistiblement drôle), elle, Luce Mouchel, le disait de manière presque romantique, troublée et troublante, en touchant le corps de Dom Juan (ce n'est pas moi qui jouait Dom Juan à l'époque, mais un beau jeune homme de vingt ans), et elle disait : « ces nerfs, ces veines » en lui effleurant la poitrine, « ce poumon », et elle était tout près de lui, et tout prenait un sens brûlant, et c'était, je crois, assez beau !

### ▸ *Dom Juan est-il un séducteur ou un homme séduit par les femmes ?*

Il ne faudrait pas confondre ce qu'on appelle un « don juan » dans la vie, qui est un nom commun, et ce qui s'appelle « Dom Juan » dans le texte de Molière. Le Dom Juan de Molière n'a que fort peu de rapports avec quelqu'un qui drague volontiers les jeunes filles (il n'a, déjà, que fort peu de rapports avec Don Giovanni de Mozart, alors...). Je ne sais pas s'il séduit ou s'il est séduit. Les deux, sans doute. Il séduit d'être séduit, et il est séduit de séduire. Mais je ne suis pas sûr que les femmes, que son rapport aux femmes, ses histoires avec les femmes, le résument à ce point. Certes, on pourrait dire qu'il aime les femmes ; mais on pourrait dire tout aussi bien qu'il les déteste (il les bafoue et les brise). On pourrait dire qu'il est athée, il ne cesse de se moquer du ciel, et de ceux qui y croient. Mais il ne parle que du ciel, c'est son obsession que de le défier, et, à ce titre, on pourrait dire tout aussi bien que c'est un mystique. Peut-on se moquer de ce qu'on sait ne pas exister ? Pour vouloir le bafouer, il faut bien qu'il y croie, et plus encore peut-être que Sganarelle. C'est un progressiste. Il pourfend l'obscurantisme et annonce le siècle des Lumières, en se moquant des moines bourrus et autres superstitions. Mais c'est aussi un grand réactionnaire, un profiteur, voire un « pré-fasciste. » Il a le comportement d'un aristocrate de l'Ancien Régime, d'un « grand seigneur méchant homme », dit Sganarelle. Mais on pourrait dire, aussi bien, le contraire : Brecht disait qu'il illustrait non pas l'aristocratie, mais sa décadence, 1789 et la montée de la bourgeoisie.

Vous voyez : tantôt il est progressiste, tantôt réactionnaire ; tantôt aristocrate triomphant, tantôt aristocrate décadent ; tantôt athée, tantôt mystique ; tantôt aimant les femmes, tantôt les détestant... Et on pourrait allonger la liste, encore ; c'est qu'il n'est pas une personne, mais un personnage. Dom Juan n'arrête pas de changer, de scène en scène. Il miroite, insaisissable et chatoyant comme seul peut l'être un grand personnage de théâtre.

► ***La représentation du surnaturel est l'une des gageures posées aux metteurs en scène. Comment interpréter vos choix scénographiques à cet égard, et notamment les statues féminines, tour à tour figées et animées, qui créent un décor à la fois fantastique et fantasmatique ?***

Les femmes, ici, et c'est l'horreur de ce texte, ne sont pas des femmes. Elles sont les marches d'un escalier de marbre qui mènerait jusqu'au ciel. Et Dom Juan le gravit, et les écrase. Mais le ciel ce n'est pas le ciel ; il faudrait dire les ciels, comme on dit au théâtre, et à leur tour ils sont les marches d'un escalier qui mènerait... à la femme, ou au « lit ardent », comme on dit le « buisson ardent ».

Des ciels peints et des statues de femmes nues sont les accessoires de ce spectacle. Un mausolée aussi, à l'acte III, dont Dom Juan croit voir les statues qui l'ornent, bouger ; et un lit, qui sera son tombeau.

Ce que Dom Juan, chaque fois, fait des femmes, c'est qu'il les tue, les rend mortes, les plonge dans le marbre de l'oubli. La statue est l'image de la rigidité cadavérique. À la fin, les statues de femmes montent avec lui dans le lit, et il se consume. Jouissance ou agonie, il hurle. À la fin de la pièce, comme il se doit, il ne reste... rien, des cendres. Ce n'est pas que *Dom Juan* est mort, c'est que Dom Juan est fini.

Lire

## • Molière, *Tartuffe*, 1664

### La satire de l'hypocrisie religieuse

*Cette comédie, écrite et jouée quelques mois avant* Dom Juan, *met en scène un imposteur, Tartuffe, qui feint la plus austère dévotion religieuse pour escroquer le naïf Monsieur Orgon, dont il est le « directeur de conscience », et séduire l'épouse de celui-ci. Condamnée par le parti des dévots, cette pièce fut censurée mais conduisit Molière à récidiver avec son personnage de Dom Juan, libertin converti lui aussi à l'hypocrisie..*

## • Prosper Mérimée, *Les Âmes du purgatoire*, 1834

### Une version romantique du mythe

*Cette nouvelle raconte la vie débauchée puis la conversion d'un certain Don Miguel Manara, l'une des figures historiques inspiratrices d'une autre version du mythe de Don Juan. Facile à lire, et mêlant le roman historique à la dimension fantastique, ce récit est assez représentatif de l'évolution du mythe donjuanesque à l'époque romantique.*

## • Edmond Rostand, *La Dernière Nuit de Don Juan*, 1921

### Un séducteur démystifié

*Écrite par l'auteur de la célèbre pièce* Cyrano de Bergerac, *cette réécriture témoigne de l'entreprise de démystification moderne de la figure de Don Juan : la pièce commence là où finit celle de Molière, montrant le héros en Enfer d'où il va être autorisé à sortir pour poursuivre durant dix ans sa tâche de « vicaire du Diable ». Or, le Diable, déguisé en montreur de Guignol, révèle au libertin l'illusion de ses prétendues conquêtes séductrices.*

## • Milan Kundera, *Risibles amours*, 1963-1969 ; *L'Insoutenable Légèreté de l'être*, 1984

### Variations romanesques sur le thème de la séduction

*Dans ces deux récits, sous forme d'une série de nouvelles et d'un roman, le romancier tchèque propose une réflexion ironique sur la séduction amoureuse, en mettant en scène des avatars modernes du donjuanisme, dépourvus toutefois de confrontation avec une quelconque statue du Commandeur.*

### • Eric-Emmanuel Schmitt, *La Nuit de Valognes*, 1991

#### Une réécriture contemporaine

*Dramaturge à succès, Schmitt propose à son tour sa version du mythe donjuanesque en mêlant les références parodiques et en présentant le héros, jugé par ses anciennes victimes, comme un homme vieilli et mélancolique, en quête d'amour rédempteur après sa rencontre équivoque avec un jeune chevalier.*

## Voir

### • *Dom Juan*, Marcel Bluwal, 1965

*Une adaptation en noir et blanc, pour la télévision, de la pièce de Molière, avec Michel Piccoli dans le rôle de Dom Juan et Claude Brasseur dans celui de Sganarelle, qui donne au héros un caractère à la fois rebelle et froidement suicidaire.*

### • *Don Giovanni*, Joseph Losey, 1979

*Une adaptation cinématographique de l'opéra de Mozart et de Da Ponte, qui tire des effets remarquables de la post-synchronisation et des décors des villas de Palladio (architecte italien du XVIe siècle) en Vénétie. Disponible en DVD.*

### • *Dom Juan*, **Molière** mis en scène par **Daniel Mesguich,** DVD collection Copat, « Le Meilleur du théâtre », **2004** (visionnage en classe autorisé avec l'aide du SCEREN – CNDP)

*Une adaptation audiovisuelle de la mise en scène de la pièce par Daniel Mesguich, filmée au Théâtre du Gymnase à Marseille en 2003. Les bonus proposent des entretiens du metteur en scène et des comédiens, ainsi qu'un débat sur la pièce et sa représentation entre Daniel Mesguich et des lycéens.*

## TABLE DES ILLUSTRATIONS



**Conception graphique** : Laurence Durandau, Julie Lannes
**Design de couverture** : Denis Hoch
**Recherche iconographique** : Gaëlle Mary/Claire Balladur
**Mise en page** : ScienTech Livre
**Correction** : Sylvie Porté
**Édition** : Raphaëlle Mourey
**Direction éditoriale** : Marie-Hélène Tournadre

N° d'éditeur : 10195209 - Dépôt légal : Janvier 2013
Imprimé en France par I.M.E - 25110 Baume-les-Dames